TOUR PEDESTRE du Pays du Mont-Blanc

6 à 11 jours de marche
62 heures
140 kilomètres

SYNDICAT INTERCOMMUNAL DU PAYS DU MONT-BLANC

Fédération Française de la Randonnée Pédestre

association reconnue d'utilité publique
8 Avenue Marceau
75008 Paris

Sommaire

4 et 5	Carte générale
6 et 7	Profils de dénivelés
8	Tableau des ressources
9 et 10	Idées rando
10	Code de bonne conduite
11	La FFRP
12	Accès à l'itinéraire
12 et 13	Balisage
14 à 16	Informations pratiques
17 à 19	Hébergement
88	Index des noms de lieux

Itinéraires

32 à 74	Itinéraire principal
78 à 87	Variantes

Découverte du Pays du Mont-Blanc

20 et 21	Région traversée
22 à 24	Géologie
25 à 29	Les réserves naturelles
30 et 31	Les rapaces
75	Habitat traditionnel
76	Art baroque religieux
77	Flore de montagne

Habitat traditionnel au Pays du Mont-Blanc : une ferme fleurie

Photo de couverture :
Vue sur le Pays du Mt-Blanc depuis les crêtes du Mt d'Arbois

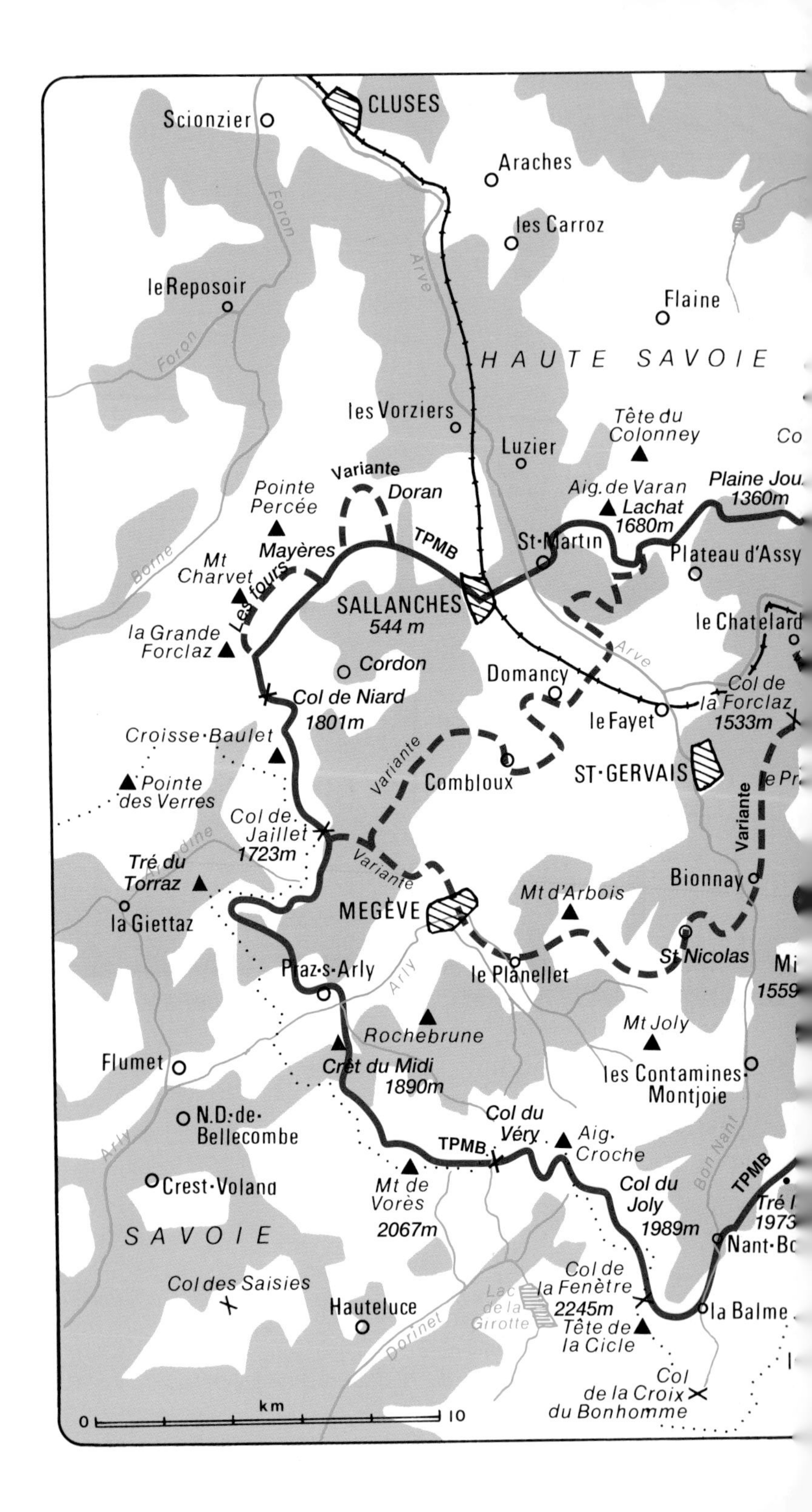

CLUSES
Scionzier
Araches
les Carroz
Foron
Arve
le Reposoir
Flaine
Foron
HAUTE SAVOIE
les Vorziers
Tête du Colonney
Luzier
Variante Doran
Pointe Percée
Aig. de Varan
Lachat 1680m
Plaine Joux 1360m
Mayères
TPMB
St-Martin
Plateau d'Assy
Mt Charvet
Les fours
Borne
SALLANCHES 544 m
le Chatelard
la Grande Forclaz
Cordon
Arve
Domancy
Col de Niard 1801m
Col de la Forclaz 1533m
le Fayet
Croisse-Baulet
Variante
Combloux
ST-GERVAIS
Pointe des Verres
Col de Jaillet 1723m
Variante
Tré du Torraz
Variante
Bionnay
la Giettaz
MEGÈVE
Mt d'Arbois
St Nicolas
Praz-s-Arly
Arly
le Planellet
Rochebrune
Mt Joly
Flumet
Crêt du Midi 1890m
les Contamines-Montjoie
N.D.-de-Bellecombe
Col du Véry
Aig. Croche
Arly
TPMB
Bon Nant
TPMB
Crest-Voland
Mt de Vorès 2067m
Col du Joly 1989m
SAVOIE
Nant-Bo
Col des Saisies
Col de la Fenêtre 2245m
Hauteluce
Lac de la Girotte
Tête de la Cicle
la Balme
Dorinet
Col de la Croix du Bonhomme
km
0
10

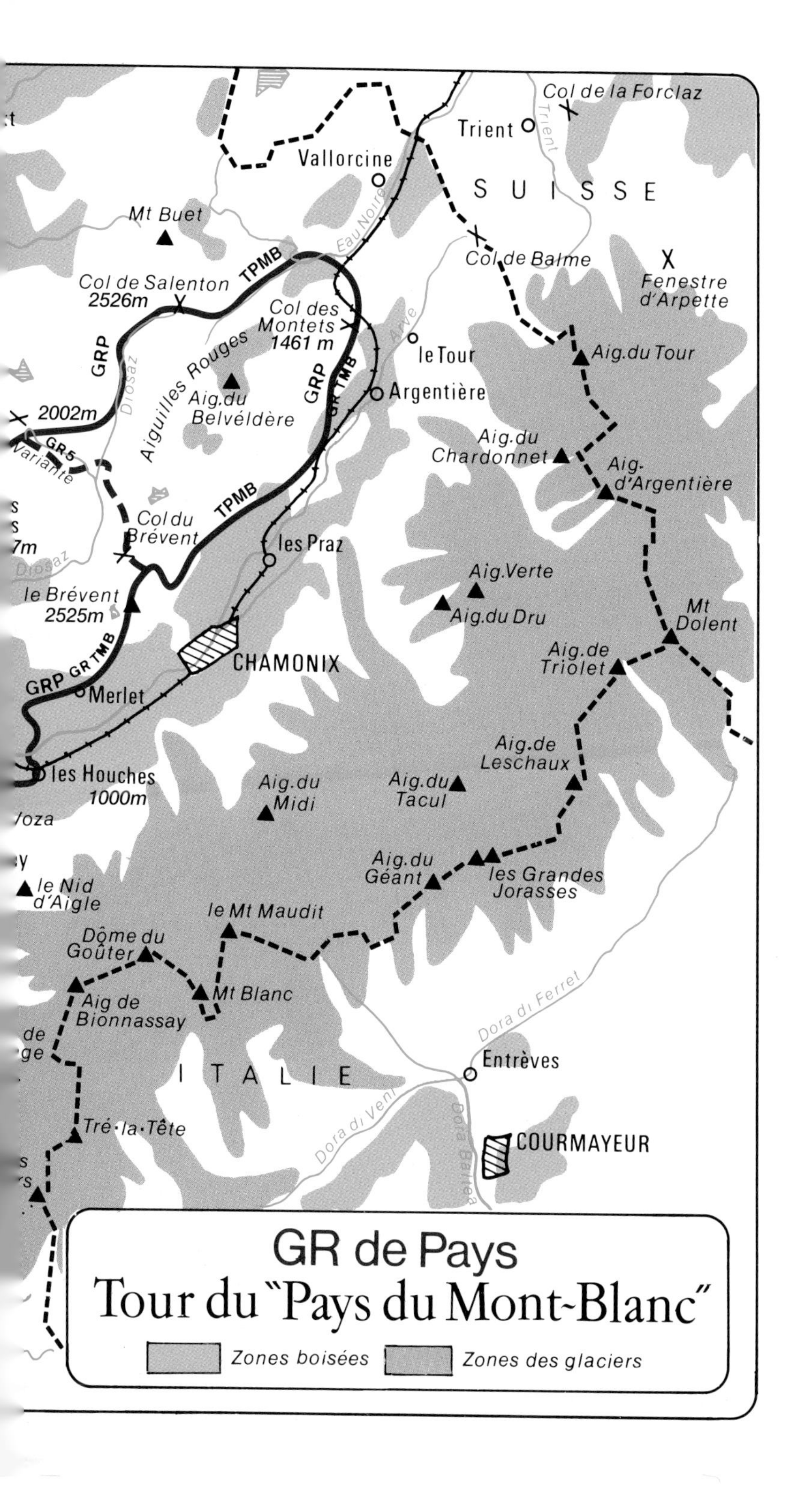

GR de Pays
Tour du "Pays du Mont-Blanc"

Zones boisées — Zones des glaciers

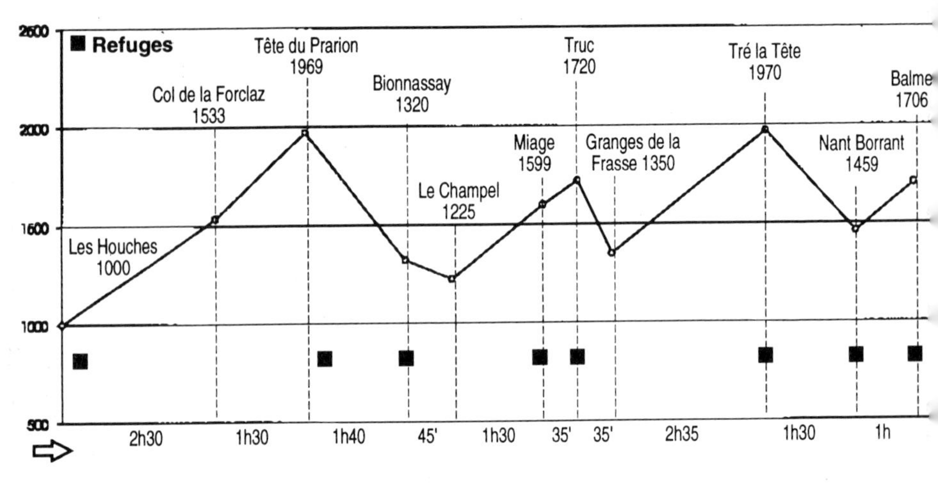
Refuges
2500
2000
1500
1000
500
Les Houches
1000
Col de la Forclaz
1533
Tête du Prarion
1969
Bionnassay
1320
Le Champel
1225
Miage
1599
Truc
1720
Granges de la
Frasse 1350
Tré la Tête
1970
Nant Borrant
1459
Balme
1706
2h30
1h30
1h40
45'
1h30
35'
35'
2h35
1h30
1h

Col de la Fenêtre 2245

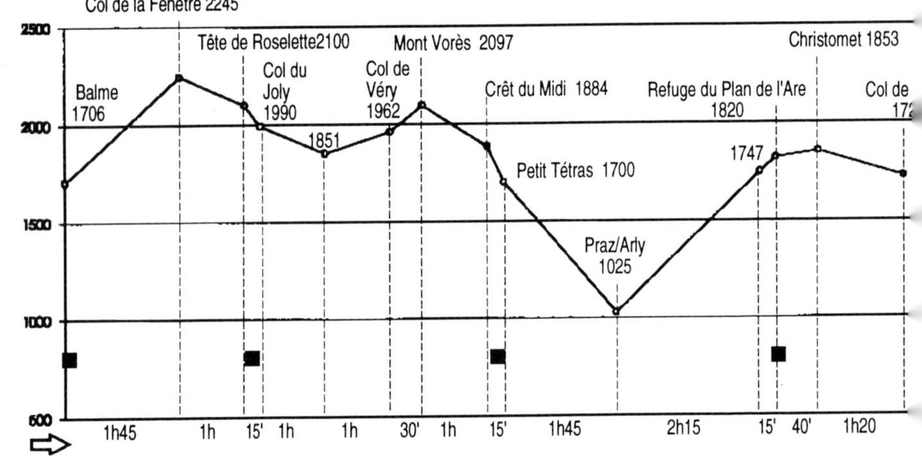
2500
2000
1500
1000
500
Balme
1706
Tête de Roselette2100
Col du
Joly
1990
1851
Col de
Véry
1962
Mont Vorès 2097
Crêt du Midi 1884
Petit Tétras 1700
Praz/Arly
1025
1747
Refuge du Plan de l'Are
1820
Christomet 1853
Col de
1h45
1h
15'
1h
1h
30'
1h
15'
1h45
2h15
15'
40'
1h20

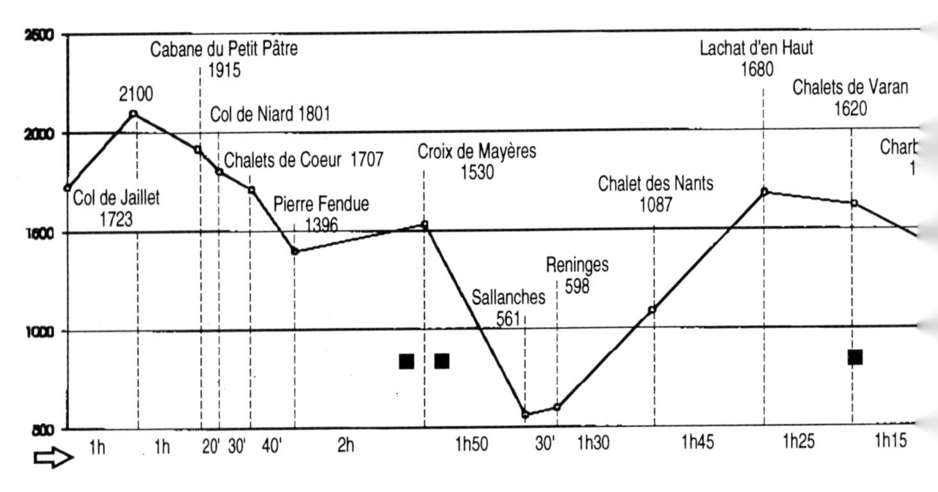
2500
2000
1500
1000
500
Col de Jaillet
1723
2100
Cabane du Petit Pâtre
1915
Col de Niard 1801
Chalets de Coeur 1707
Pierre Fendue
1396
Croix de Mayères
1530
Sallanches
561
Reninges
598
Chalet des Nants
1087
Lachat d'en Haut
1680
Chalets de Varan
1620
1h
1h
20'
30'
40'
2h
1h50
30'
1h30
1h45
1h25
1h15

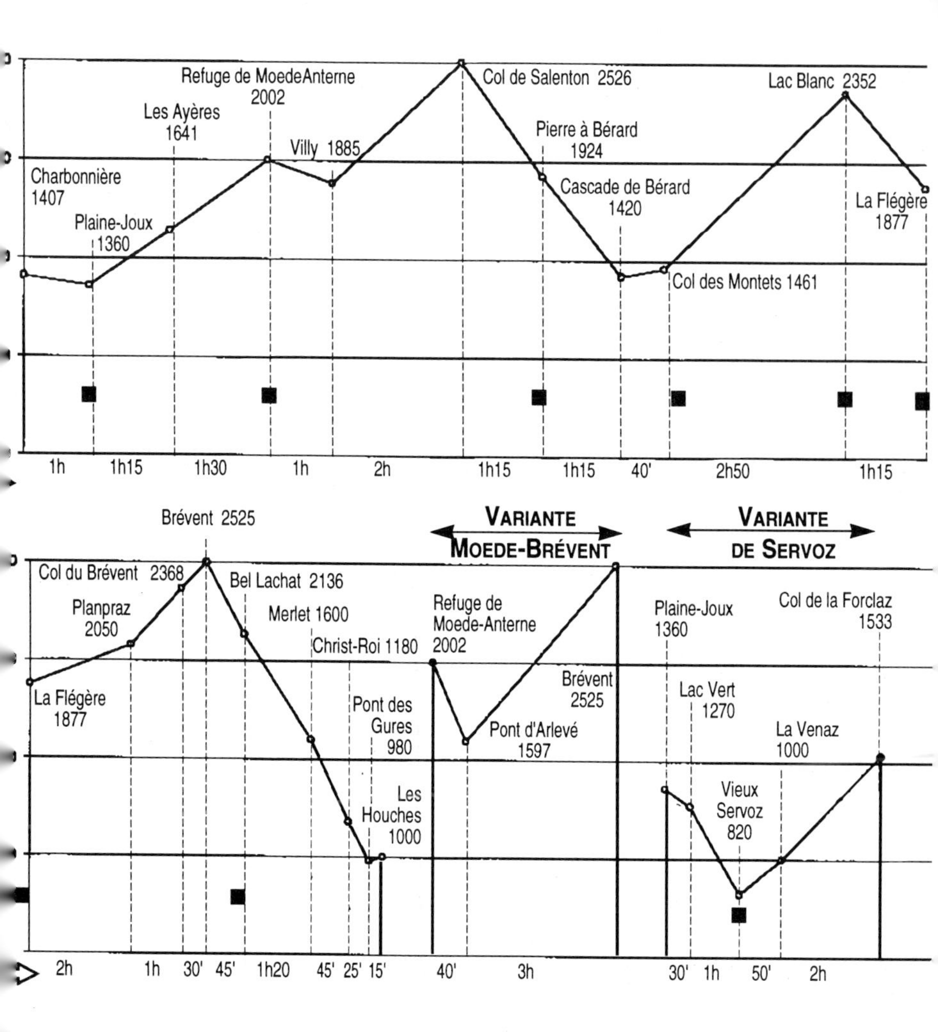

Charbonnière
1407
Plaine-Joux
1360
Les Ayères
1641
Refuge de MoedeAnterne
2002
Villy 1885
Col de Salenton 2526
Pierre à Bérard
1924
Cascade de Bérard
1420
Col des Montets 1461
Lac Blanc 2352
La Flégère
1877
1h
1h15
1h30
1h
2h
1h15
1h15
40'
2h50
1h15
Brévent 2525
Col du Brévent 2368
Planpraz
2050
La Flégère
1877
Bel Lachat 2136
Merlet 1600
Christ-Roi 1180
Pont des
Gures
980
Les
Houches
1000
VARIANTE
MOEDE-BRÉVENT
Refuge de
Moede-Anterne
2002
Pont d'Arlevé
1597
Brévent
2525
VARIANTE
DE SERVOZ
Plaine-Joux
1360
Col de la Forclaz
1533
Lac Vert
1270
Vieux
Servoz
820
La Venaz
1000
2h
1h
30'
45'
1h20
45'
25'
15'
40'
3h
30'
1h
50'
2h

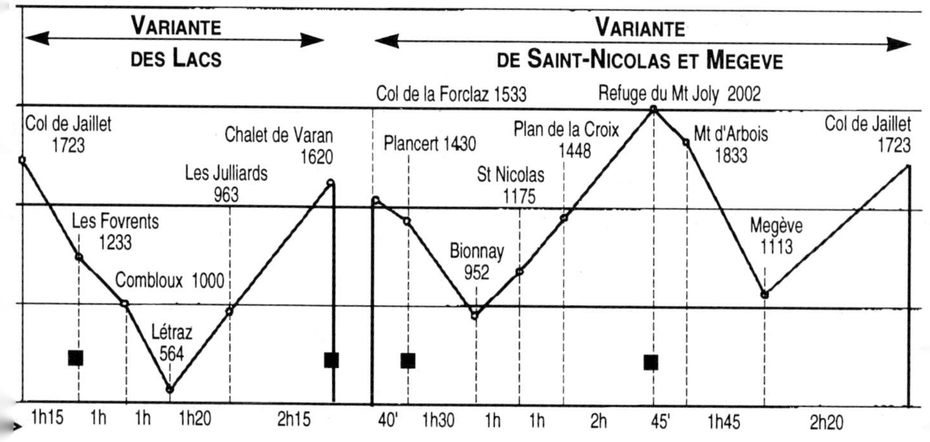

VARIANTE
DES LACS
Col de Jaillet
1723
Les Fovrents
1233
Combloux 1000
Létraz
564
Les Julliards
963
Chalet de Varan
1620
VARIANTE
DE SAINT-NICOLAS ET MEGEVE
Col de la Forclaz 1533
Plancert 1430
Bionnay
952
St Nicolas
1175
Plan de la Croix
1448
Refuge du Mt Joly 2002
Mt d'Arbois
1833
Megève
1113
Col de Jaillet
1723
1h15
1h
1h
1h20
2h15
40'
1h30
1h
1h
2h
45'
1h45
2h20

LOCALITES RESSOURCES	Page							i		$		
Les Houches village	32			●	●	●	●	●	●	●	●	●
Les Crêts -Les Amis de la nature	33		●				●					●
Le Prarion	35			●			●					●
Hameau de Bionnassay	36		●				●					●
Miage	38	●					●					● R
Truc	38	●					●					● R
Tré-la-Tête	40	●					●					● R
Nant-Borrant	41	●					●					● R
La Balme	41	●					●					● R
Refuge de Roselette	45	●					●					● R
Col du Joly	45						●					●
Refuge du Petit Tétras	47	●					●					
Village de Praz-sur-Arly	48			●	●	●	●	●	●	●	●	●
Refuge du Plan de l'Are	48			●								
Refuge de Mayères	51	●					●					●
Refuge du Tornieux	54	●					●					●
Sallanches	55			●	●	●	●	●	●	●	●	●
St Martin sur Arve	55					●						●
Chalets de Varan	59	●					●					● R
Plaine-Joux	59			●	●		●		●			●
Refuge de Moëde-Anterne	61	●					●					●
Refuge de Pierre à Bérard	63	●					●					● R
Vallorcine	66			●	●	●	●	●			●	●
Lac Blanc	68	●					●					● R
La Flégère	69	●										
Chamonix	70	●	●	●	●	●	●	●	●	●	●	●
Sommet du Brévent	71						●					●
Chalet de Bel-Lachat	73	●					●					
Gîte des Fovrents	78		●				●					●
Combloux	79			●	●	●	●	●	●	●	●	●
Domancy-Létraz	79						●					●
Lacs de Passy	79				●	●	●					●
Lac Vert	81						●					●
Vieux Servoz	81		●				●					●
Refuge de Doran	511	●					●					●
Saint Nicolas	83					●	●				●	●
Plan de la Croix	83						●					
Refuge du Mont-Joly	83	●					●					
Le Mont d'Arbois	86			●			●					●
Megève	86			●	●	●	●	●	●	●	●	●
St Gervais	37			●	●	●	●	●	●	●	●	●
Les Contamines Montjoie	39			●	●	●	●	●	●	●	●	●
Passy et Plateau d'Assy	60			●		●	●	●	●	●	●	●
Servoz (depuis Vieux Servoz)	81			●	●	●	●	●	●		●	●
Cordon	50			●	●	●	●	●				●

Légende des symboles : page suivante

Idées de Randonnées

Le Tour du Pays du Mont-Blanc traverse régulièrement les villages de fond de vallées. Ils sont, dans l'ensemble, très bien reliés entre eux, soit par des itinéraires de randonnée, soit par des moyens de locomotion, notamment par des services réguliers d'autocars ou par le chemin de fer. A chaque jour de marche, il est donc possible de rejoindre ou de quitter le circuit. De même, la randonnée peut être raccourcie ou allongée à volonté.
Les variantes balisées augmentent encore ces possibilités de courtes boucles, inscrites à l'intérieur de l'itinéraire principal. Parmi la multitude de choix possibles, nous citerons uniquement, à titre d'exemples, les randonnées suivantes :

ITINERAIRE A en 7 jours :

(Cartes pages 47,52,53 et 72)

1 - Sallanches - Reninge - Lachat - Chalets et Refuge de Varan.
2 - Plaine-Joux - Lac Vert - (Jonction avec l'itinéraire B) - Vieux Servoz -Col de la Forclaz - (Jonction avec l'itinéraire B) - Hôtel Le Prarion.
3 - La Charme - Bionnassay - Le Champel - Miage - Chalets et refuge du Truc.
4 - Granges de la Frasse aux Contamines - Tré-la-Tête - Col de la Fenêtre - Tête et Refuge de Roselette.
5 - Col du Joly - Col de Véry - Praz-sur-Arly - Refuge du Plan de l'Are.
6 - Col de Jaillet - Col de Niard - Croix de Mayères - Refuge La Ferme du Tornieux.
7 - Déramey - Château des Rubins - Sallanches.

ITINERAIRE B en 6 jours :

(Cartes pages 46,52,53,72,84 et 85)

1 - Megève - (Télécabine) - Col de Jaillet - Col de Niard - Croix et Refuge de Mayères.
2 - Deramey - Château des Rubins - Sallanches - Reninge - Lachat - Chalets et Refuge de Varan.
3 - Plaine-Joux - Lac Vert - Vieux Servoz.
4 - Col de la Forclaz - Le Prarion - La Charme - Hameau et Gîte d'Etape de Bionnassay.
5 - Le Champel - Chalets de Miage et du Truc - Granges de la Frasse aux Contamines - Tré-la-Tête - Refuge de Nant-Borrant.
6 - Col de la Fenêtre - Col du Joly - Col de Véry - Praz-sur-Arly - Jonction avec Megève.

Légende des symboles

Refuge			$ Banque
Gîte d'étape	Ravitaillement	Autocar	Téléphone
Hôtel	Restaurant	Gare SNCF	R Radio
Camping	i Office Tourisme	Poste	Médecin

ITINERAIRE C en 5 jours :

(Cartes pages 58,64 et 65)

1 - Servoz - Vieux Servoz - Le Lac Vert (Jonction avec l'itinéraire E) - Les Mollays - Refuge de Moëde-Anterne.
2 - Col de Salenton - Sommet du Mont Buet - Refuge de la Pierre à Bérard.
3 - La Cascade de Bérard à Vallorcine - Col des Montets - Refuge du Lac Blanc.
4 - Planpraz - Col du Brévent - Sommet du Brévent - Chalet-Refuge de Bel-Lachat.
5 - Merlet - Christ-Roi - Les Houches - Liaison SNCF avec Servoz- (ou jonction avec l'itinéraire E par le Col de la Forclaz).

ITINERAIRE D en 5 jours :

(Cartes pages 34,42,43 et 46)

1 - St Gervais - (Tramway du Mont-Blanc) - Montivon - Bionnassay - Le Champel - Chalets et refuge de Miage.
2 - Chalets du Truc - Granges de la Frasse aux Contamines - Tré-la-Tête - Chalet-refuge de la Balme.
3 - Col de la Fenêtre - Col du Joly - Col de Véry - Refuge du Petit Tétras.
4 - Praz-sur-Arly - l'Oratoire du Christomet - Col de Jaillet - (Télécabine) - Megève - (Télécabine) - Le Mont d'Arbois - Hôtel l'Igloo ou Refuge du Mont Joly.
5 - St Nicolas de Véroce - Bionnay - Liaison avec St Gervais.

ITINERAIRE E en 3 jours :

(Cartes pages 64 et 65)

1 - Chamonix- (Téléphérique) - Le Brévent - Col du Brévent - Refuge de Moëde -Anterne.
2 - Col de Salenton - Sommet du Mont Buet - Refuge de la Pierre à Bérard.
3 - La Cascade de Bérard à Vallorcine - Col de Montets - Lac Blanc - La Flégère (Téléphérique) - Les Praz de Chamonix-Liaison avec Chamonix.

Le Code de Bonne Conduite

Le sentier est le territoire de l'homme, marcher en dehors est, pour le randonneur d'aujourd'hui, transgresser la règle et empiéter sur le territoire des bêtes sauvages qui, de ce fait, l'abandonnent pour d'autres lieux plus reculés.

Sentier, sente, chemin, passage, route, piste, allée, layon, voie, trace ...L'homme a créé le sentier pour son confort personnel. Ses déplacements à travers montagnes et forêts lui étaient nécessaires et il devait baliser les itinéraires qui traversaient des contrées un peu trop sauvages où il risquait de se perdre.

Le Pays du Mont-Blanc du XIXe siècle a connu les "voyageurs" : ils ont eu l'audace de parcourir des chemins quelques fois périlleux et de faire connaître le résultat de leurs "découvertes". Se hasarder hors du sentier pouvait parfois être fatal; c'était parfois très amusant, comme en témoigne cette anecdote truculente.

"Le sentier est facile, si l'on consent à en suivre tous les zigs-zags; mais la rampe, d'ailleurs gazonnée, est roide, si l'on-prétend l'escalader en ligne directe. M. Töpffer, qui vient de s'y engager, s'en repent déjà amèrement. En effet, errant à la façon d'une âme en peine, il ne

parvient à fuir le vertige d'un côté que pour le retrouver de l'autre, jusqu'à ce qu'enfin il ait atteint un petit replat profondément fangeux, d'où il ne retire son pied droit qu'à la condition d'y enfoncer son pied gauche. Situation critique assurément. On jure bien de ne pas s'y remettre, mais en attendant l'on ne sait pas comment s'en sortir. On rit bien de l'embarras, mais en attendant on a des sueurs d'effroi. Redescendre, affreux; monter, impossible."
(in Töpffer : Nouveaux voyages en zigs-zags - 1842)

La FFRP

Depuis 1947, le Comité National des Sentiers de Grande Randonnée, devenu 30 ans plus tard la Fédération Française de la Randonnée Pédestre, s'est donné pour tâche d'équiper la France d'un réseau d'itinéraires de randonnée pédestre, balisés, entretenus, décrits dans des topo-guides comme celui-ci et ouverts à tous. Ce sont des bénévoles, au nombre de 2 500 à 3 000 en permanence, qui tout au long de ces quarante années d'existence ont créé les 40 000 km de sentiers de grande randonnée, les "GR", maintenant bien connus.

Si la randonnée pédestre a pris en France le développement qu'on lui connaît à l'heure actuelle, si les GR ont acquis la renommée qui leur est reconnue, c'est à eux et à la Fédération qu'on le doit. Depuis quelques années, leur action s'est étendue à des itinéraires de petite et moyenne randonnée destinés aux randonneurs de week-end et de proximité.

La Fédération, seule ou parfois avec le concours des collectivités locales, édite des topo-guides qui décrivent les itinéraires et mettent en valeur leur attrait sportif ou culturel.

Mais son action désintéressée ne se borne pas là. Elle intervient sans cesse auprès des pouvoirs publics pour la protection et le maintien des chemins et sentiers nécessaires à la randonnée, pour la sauvegarde de l'environnement naturel, pour la promotion de la randonnée, pour la défense des intérêts des randonneurs.

Elle regroupe plus de 1300 associations de randonneurs sur l'ensemble du territoire. Celles-ci font sa force. Randonneurs qui utilisez ce topo-guide, rejoignez-les. Plus vous serez nombreux, plus la Fédération sera forte, plus son audience sera grande et plus elle disposera de moyens pour répondre à votre attente.

Accès à l'itinéraire

Chemin de fer :
Information voyageurs à St Gervais-Le Fayet : Tél 50 66 50 50.
Voitures directes depuis les principales villes de France à destination de Sallanches et St Gervais - Le Fayet.
Correspondance avec la ligne SNCF pour Servoz, Les Houches, Chamonix et Vallorcine.
Correspondances par autocar pour St-Gervais, Les Contamines, Megève, Praz-sur-Arly, Combloux, Cordon et Passy.

Autocars :
Société Alpes Transport (SAT) - PAE Pays du Mont-Blanc - 74190 PASSY.
Tél 50 78 05 33. Fax 50 78 07 62.
Chamonix-Bus - 591 promenade Marie-Paradis BP 3 - 74401 CHAMONIX.
Tél 50 53 05 55. Fax 50 55 95 59.
Mont-Blanc Bus - 1854 avenue de Genève - 74700 SALLANCHES.
Tél 50 47 83 12. Fax 50 47 83 05.
Borini- BP 10 - 74120 MEGEVE.
Tél 50 21 18 24. Fax 50 21 18 85.
Navette municipale de Cordon :
Tél 50 58 01 57.

Remontées Mécaniques :
Les remontées mécaniques sont habituellement ouvertes du 15 Juin au 15 Septembre. Cette période est parfois élargie. Se renseigner auprès des exploitations.
Télécabine Les Houches-Prarion .
Tél 50 54 42 65.
Tramway du Mont-Blanc Le Fayet -Nid d'Aigle par St Gervais et Col de Vosaz.
Tél 50 47 51 83 (Le Fayet)
ou 50 78 22 02 (St Gervais).
Télécabine St Gervais-Le Bettex- Mont d'Arbois. Tél 50 93 11 87.
Télécabine Les Contamines -L'Etape - Le Signal. Tél 50 47 02 05.
Télécabine Megève - Mont d'Arbois.
Tél 50 21 22 07.
Télécabine Megève-Le Jaillet.
Tél 50 21 01 50.
Téléphérique Les Praz de Chamonix - La Flégère - Index. Tél 50 53 18 58.
Téléphérique Chamonix - Planpraz - Le Brévent. Tél 50 53 13 18.

Balisage

Le parcours correspond à la description qui est faite dans le topo-guide. Toutefois, en cas de modification de l'itinéraire, il faut suivre le nouveau balisage qui ne correspond plus alors à la description. Ces modifications sont publiées, quand elles ont une certaine importance, dans la revue *Randonnée Magazine* et sur le Minitel de la FFRP *3615 RANDO.*

Les renseignements fournis dans le topo-guide, ainsi que les jalonnements et balisages, n'ont qu'une valeur indicative, destinée à permettre au randonneur de trouver plus aisément son chemin. La responsabilité de la FFRP ne saurait donc être engagée.
Le randonneur parcourt l'itinéraire décrit, qui utilise le plus souvent des voies publiques, à ses risques et périls.

Un modèle de pancarte "variante"

Il reste seul responsable, non seulement des accidents dont il pourrait être victime, mais des dommages qu'il pourrait causer à autrui. Certains itinéraires empruntent des voies privées : le passage n'a été autorisé par le propriétaire que pour la randonnée pédestre, exclusivement.

De ce qui précède, il résulte que le randonneur a intérêt à être bien assuré. La FFRP et ses associations délivrent une licence incluant une telle assurance.

Par ailleurs, il est rappelé que le balisage et la desciption du topo-guide sont réalisés dans le sens des aiguilles d'une montre. Mais rien ne s'oppose à le concevoir dans l'autre sens. Chacun peut découper l'itinéraire en autant d'étapes que ses capacités ou sa disponibilté le permettent.

Le Tour du Pays du Mont-Blanc possède un balisage qui lui est propre. Ce balisage, posé et entretenu par les services techniques des communes traversées ou par l'Office National des Forêts, est matérialisé sur le terrain par deux moyens principaux :

1 - Les pancartes, qui sont de deux sortes :

- Les grandes principales (50 X 12 cm), beige clair et jaune d'or. Elles indiquent, d'une part, le lieu et l'altitude où l'on se trouve, et d'autre part, plusieurs destinations successives avec les horaires correspondants.
- Les petites pancartes (30 X 8 cm), de la même couleur, complètent le balisage en terrain difficile.

NB : Sur les variantes, ces pancartes portent le mot "variante" inscrit en rouge. Grandes et petites pancartes portent la marque jaune et rouge du balisage "GR de Pays" et le logo du Pays du Mont-Blanc (six triangles sur fond bleu nuit, lettres blanches).

2 - La peinture, au sol, sur les rochers, les murs, les arbres ou les piquets. Cette peinture comprend, conformément au balisage de tous les GR de Pays, deux bandes superposées jaune et rouge de 12 cm de longueur environ. La fréquence du marquage est fonction de la difficulté du terrain.

Deux modèles de pancarte "itinéraire principal"

Informations pratiques

Adresses Utiles

CENTRE D'INFORMATION DE LA FFRP : 64 rue de Gergovie - 75014 PARIS. Tél:(1)45 45 31 02

INFORMATIONS MINITEL sur le Pays du Mont-Blanc :3615 Code MTBLANC ou 3614 Code PMBINFOS.

SIVOM Pays du Mont-Blanc: Hôtel de Ville- 74400 CHAMONIX.
Tél 50 53 61 31. Fax : 50 53 15 55.

Comité Départemental de la Randonnée Pédestre de la Haute-Savoie: (CODERANDO 74),Délégation FFRP de la Haute-Savoie - BP 31 - 74501 EVIAN-les-BAINS cedex.
Tél 50 75 35 87. Fax 50 75 45 67.

Maison de Savoie : 31 av.de l'Opéra 75001 PARIS. Tél (1) 42 61 74 73.

Office de Haute Montagne : Maison de la Montagne -190 place de l'Eglise 74400 CHAMONIX. Tél 50 53 21 41.

Offices de Tourisme

CHAMONIX : 85 place du Triangle de l'Amitié - 74400 CHAMONIX.
Tél 50 53 00 24. Fax 50 53 58 90.
Réservation 50 53 23 33.

COMBLOUX: 74920 COMBLOUX.
Tél 50 58 60 49. Fax 50 93 33 55.
Réservation 50 58 61 88.

CORDON : Maison du Tourisme - 74700 CORDON. Tél 50 58 01 57.

DEMI-QUARTIER : Voir MEGEVE.

DOMANCY : "Létraz" - 74700 DOMANCY. Tél 50 93 73 78.

LES CONTAMINES : BP 7 - 74170 LES CONTAMINES MONTJOIE.
Tél 50 47 01 58. Réserv. 50 47 05 10.

LES HOUCHES : BP 9 - 74310 LES HOUCHES. Tél 50 55 50 62.
Fax 50 55 53 16. Réserv. 50 55 51 71.

MEGEVE: BP 24 - 74120 MEGEVE.
Tél 50 21 27 28. Fax : 50 93 03 09.
Réservation 50 21 29 52.

PASSY : 1133 avenue Jacques Arnaud Plateau d'Assy - 74480 PASSY.
Tél 50 58 80 52.

PRAZ-sur-ARLY : Chef-lieu - 74120 PRAZ sur ARLY. Tél 50 21 90 57.
Fax : 50 21 98 08.

SAINT-GERVAIS : 115 avenue Mont-Paccard - 74700 St GERVAIS.
Tél 50 47 76 08. Fax : 50 47 75 69.

SALLANCHES : 31 quai de l'Hôtel de Ville - 74700 SALLANCHES.
Tél 50 58 04 25. Fax : 50 58 38 47.

SERVOZ : Chef-lieu - 74310 SERVOZ.
Tél 50 47 21 68.

VALLORCINE : Place de la Gare - 74660 VALLORCINE. Tél 50 54 60 71.

Epoque

Les cols sont généralement praticables dès la mi-juin, bien qu'encore enneigés en altitude, et jusqu'aux derniers jours d'octobre. Les hôtels sont ouverts également aux mêmes dates. Par contre, les chalets d'altitude peuvent être fermés. Il est prudent de se renseigner.
La période de fin juin et début juillet est très favorable : les jours sont longs, la floraison est intense, et les points d'hébergement encore peu fréquentés. Du 10 juillet au 15 août, l'affluence est très grande. Septembre et octobre sont très agréables, les journées sont douces mais plus courtes. Certains refuges ne sont plus gardés à partir de la mi-septembre, mais on peut utiliser le local d'hiver, quand il existe, qui reste ouvert.

Cartographie

Cartes IGN au 1/25 000 TOP 25 :
N^{os} : 3430 ET (La Clusaz- Gd Bornand) 3530 ET (Samoëns) - 3531 ET (St Gervais) - 3531 OT (Megève) - 3630 OT (Chamonix).
Carte Didier-Richard au 1/50 000 :
N° 8 (Massif du Mont-Blanc-Beaufortin)
Cartes Michelin au 1/200 000 :
N°s 74 ou 92.
Cartes des sentiers éditées par chaque Office du Tourisme.
La FFRP ne vend pas de cartes. S'adresser à l'Espace IGN: 107 rue La Boétie 75008 PARIS - Tél : (1) 43 98 85 00 ou aux libraires dépositaires de l'IGN.

Organismes professionnels

Association Départementale des Accompagnateurs en Montagne (ADAM)
M. Jacques BASSET - Les Albertants 74110 MONTRIOND. Tél: 50 79 12 29
Compagnie des Guides et des Accompagnateurs de Chamonix Mont-Blanc (regroupant Chamonix, Les Houches et Servoz):
Maison de la Montagne 190 place de l'Eglise 74400 CHAMONIX.
Tél 50 53 00 88. Fax 50 53 48 04.
Association Indépendante des Guides du Mont-Blanc : 98 rue des Moulins - 744002 CHAMONIX . Tél 50 53 27 05.
Compagnie des Guides du Val Montjoie (regroupant St- Gervais et Les Contamines): 114 avenue Mont Paccard - 74170 ST GERVAIS. Tél 50 78 35 37.
Bureau des Guides et des Accompagnateurs
(regroupant Megève et Combloux)
Club des Sports :176 rue de la Poste - 74120 MEGEVE.
Tél 50 21 31 50.

Sécurité - Santé

PGHM Massif du Mont-Blanc.
Tél 50 53 16 89.
PGM St Gervais les Bains.
Tél 50 78 10 81.
Hôpital de Chamonix :
543 rue Vallot 74400 CHAMONIX.
Tél 50 53 04 74. Fax 50 53 29 87.
Centre Hospitalier de Sallanches :118 rue de l'Hôpital 74700 SALLANCHES.
Tél 50 47 30 30.
Pompiers :18
Gendarmerie : 17
En cours: **SMUR** :15

Météorologie

METEO FRANCE à Chamonix :Informations par répondeur : 36 68 02 74
et par Minitel : 3615 Code METEO.
Depuis l'étranger, la même information est disponible en Suisse au :
22 717 82 06.

Etapes et horaires de marche

Chacun établit ses étapes en fonction de ses possibilités physiques et du mode d'hébergement choisi. (Les campeurs ont une charge plus lourde). Les temps de marche indiqués dans le présent topo-guide correspondent à une marche effective (donc sans pause ni arrêt) à la vitesse de 4 km/heure environ en terrain plat. Ils doivent donc être interprétés selon chaque individu.
Sur les sentiers de montagne, le calcul se fait surtout par rapport au dénivelé : 300 mètres à la montée et 400 mètres à la descente par heure pour un randonneur "moyen", préparé à la marche en terrain varié et habitué au port d'un sac à dos chargé.

Difficultés

Randonnée-type de moyenne montagne, le Tour du Pays du Mont-Blanc est à la portée de tout randonneur.
Le GR et ses variantes suivent toujours un chemin existant et jalonné : sente, sentier, chemin muletier ou tronçon de route. Cependant, lorsqu'ils traversent des zones herbeuses, en forêt ou en alpage, les sentiers sont quelques fois peu visibles. Il est nécessaire de suivre attentivement le descriptif, les cheminements indiqués sont sans danger.
Malgré tout, l'attention du randonneur est attirée sur le fait que l'itinéraire peut présenter des difficultés sérieuses de parcours suivant la saison (gros enneigement) ou les conditions atmosphériques (brouillard, orage, chutes de neige parfois,...) Il appartient donc à chacun d'en apprécier les dangers selon les circonstances et d'étudier soigneusement le parcours. Par ailleurs, il ne faut pas sous-estimer la longueur d'une étape. Il est conseillé de partir tôt et de calculer une grande marge de sécurité dans l'horaire de marche pour éviter d'être surpris par la nuit.

Précautions

Le climat de montagne est rude et le temps peut changer brutalement. Il est indispensable de prévoir, même en été, des vêtements chauds et imperméables, ainsi que de bonnes chaussures de marche, montantes et étanches.
Il est prudent d'indiquer, avant le départ, à son hôtel, à ses amis, l'itinéraire de la promenade envisagée, et il vaut mieux éviter de partir seul.
Les sentiers de montagne demandent un gros travail d'entretien. Ne prenez pas les raccourcis : ils engendrent des ravinements qui, aggravés par les ruissellements des eaux de pluie, dégradent le sol et la végétation.
Les pique-niques en montagne sont agréables : pour ne pas dégrader le site, emportez un sac et redescendez vos ordures dans la vallée.
Attention, la présence des chiens est généralement interdite à l'intérieur des réserves naturelles. Il est également recommandé de vérifier leur acceptation ou non dans les gîtes et refuges.
La facilité de l'accès à la moyenne montagne dépend de l 'état d'enneigement, de la météo, de l'entrainement physique et de l'équipement personnel. Il est plus prudent de se renseigner avant le départ auprès des instances qualifiées : l'enneigement, les débordements de torrent, les éboulements, ... peuvent modifier le profil de l'itinéraire.

Hébergement

Dans la description des étapes du Tour du Pays du Mont-Blanc, les possibilités d'hébergement ont été simplement mentionnées sans autre indication. Le randonneur pourra trouver dans la liste ci-dessous les renseignements dont il aura besoin pour se loger et se restaurer tout au long du circuit. Ne sont mentionnés que les refuges ou gîtes se trouvant sur le lieu de passage. Cependant d'autres hébergements pourront être trouvés à proximité ou dans les villages et hameaux environnants. ■

Gîte d'étape du CRET - 1 100 m
Ouvert toute l'année
Ch. et dortoirs 20 places
Gardien: Jean LADUREL
Réservation tél: 50 55 52 27
Adresse : Le Crêt - 74310 LES HOUCHES
Caractéristiques : Ferme typique

Gîte des AMIS DE LA NATURE - 1 106 m
Ouvert toute l'année
Chambres et dortoir 140 places
Gardien: Daniel DRUY
Réservation tél: 50 54 41 07
Adresse : Gîte les Amis de la Nature
74310 LES HOUCHES
Caractéristiques : Camping

Hôtel LE PRARION - 1 860 m
Ouvert du 15/06 au 15/09
20 chambres - Dortoir 25 places
Gardien : Yves HOTTEGINDRE
Réservation tél: 50 93 47 01
Adresse: Hôtel "Le Prarion"
74170 ST GERVAIS
Caractéristiques : Eau chaude,salle à manger panoramique, table d'orientation.

Auberge de BIONNASSAY - 1 314 m
Ouvert du 01/04 au 30/09
Dortoir 50 places
Gardienne : Cécile CONSTANT
Réservation tél: 50 93 45 23
Adresse: 3084 route de Bionnassay
74170 ST GERVAIS
Caractéristiques : Accès et situation agréables en village.

Auberge du CHAMPEL - 1 200 m
Ouvert du 15/06 au 15/09
Pas de couchage
Gardienne : Ino LORTON
Réservation tél: 50 93 54 46
Adresse : 33 impasse des Iris
74170 ST GERVAIS
Caractéristiques : Restauration seulement et possibilité de camping.

Refuge de MIAGE - 1 689 m
Ouvert du 15/06 au 30/09
Dortoir 30 places
Gardien: James ORSET
Réservation tél: 50 78 07 16 / 50 93 22 91
Adresse: Chalet Heidi 85 impasse d'Ayères
74170 ST GERVAIS
Caractéristiques : Possibilité d'acheter de la nourriture. Camping.

Chalet du TRUC - 1 750 m
Ouvert du 20/06 au 10/09
Dortoir 30 places
Gardienne: Bernadette BESSAT
Réserv. tél : 50 93 12 48 / 50 47 05 31
Adresse : Le Cugnon
74170 LES CONTAMINES MONTJOIE
Caractéristiques : Energie au gaz.

Refuge de TRELATETE - 1 970 m Ouvert du 01/07 au 30/09
Dortoirs 100 places
Gardien: Roland CUIDET
Réserv. tél.: 50 47 01 68 / 50 47 05 26
Adresse : 43 ch. Nivorin d'En-Haut
74170 LES CONTAMINES MONTJOIE
Caractéristiques : Salle hors sac sans gaz.

Refuge de NANT-BORRANT - 1 459 m
Ouvert du 15/06 au 20/09
Dortoirs 30 places
Gardienne: Lucienne MATTEL
Réservation tél: 50 47 03 57 / 50 47 10 05
Adresse: Le Mollié - Chalet Nantborrant
74170 LES CONTAMINES MONTJOIE
Caractéristiques : Dortoirs de 6 places

Chalet-Refuge de LA BALME - 1 706 m
Ouvert du 15/06 au 15/09
Chambres-dortoirs 70 places
Gardien: Didier GUT
Réservation tél: 50 47 03 54
Adresse : Chalet-refuge de la Balme
74170 LES CONTAMINES
Caractéristiques : Camping à respecter, réservation obligatoire.

Refuge de LA ROSELETTE - 1 871 m
Ouvert du 20/06 au 10/09
Dortoirs 15 places
Gardiens: J.Pierre et Catherine CURDEL
Réservation tél:50 93 50 03
Adresse: 536 chemin du téléphérique
74170 ST GERVAIS
Caractéristiques: Alpage restauré, bâtiment neuf.

Refuge du PETIT-TETRAS - 1 700 m
Ouvert du 01/07 au 31/08
Dortoirs 20 places
Gardiens:Y. & B. SOCQUET-MEILLERET
Réservation tél: 50 21 09 33 / 50 21 91 26
Adresse: Chalet Damou-Réon
74120 PRAZ sur ARLY
Caractéristiques : Réservation obligatoire.

Refuge du PLAN DE L'ARE - 1 732 m
Ouvert du 15/06 au 31/08
Dortoirs 18 places
Gardien: Rémy PERINET
Réservation tél: Off. Tour .50 21 90 57
Adresse : BP 30 - 74120 PRAZ sur ARLY
Caractéristiques : Alpage typique.
Panneaux solaires. Camping.

Refuge de MAYERES - 1 563 m
Ouvert du 01/05 au 30/10
Dortoir : 40 places
Gardien: Raymond MARTINATTO
Réservation tél: 50 78 29 28/50 58 12 74
Adresse: 3 rue du commerce
74700 SALLANCHES
Caractéristiques : Douches

La Ferme du TORNIEUX - 1 450 m
Ouvert toute l'année
Chambres et dortoirs 50 places
Gardien: Patrick ROUBERT
Réservation tél: 50 93 78 54
Adresse: 12 ancienne rte Combloux
74700 SALLANCHES
Caractéristiques: Chauffage central.
Camping.

Refuge de VARAN - 1 620 m
Ouvert du 10/06 au 30/09
Dortoir 40 places
Gardiens: Odette et Gilbert JIGUET
Réservation tél: 50 93 61 98 / 50 58 81 99
Adresse : 1732 ch. Bay au Coudray
74190 PASSY
Caractéristiques : Ravitaillement et
douches. Camping.

Chalet-hôtel de PLAINE-JOUX - 1 360 m
Ouvert du 01/07 au 30/09
7 chambres d'hôtel
Gardien : Jacky MAGNIN
Réservation tél: 50 58 80 27
Adresse : 2486 route de Plaine-Joux
74480 PASSY
Camping - Douches - Electricité

Refuge de MOEDE-ANTERNE - 2 002 m
Ouvert du 01/07 au 30/09
Chambres et dortoirs 70 places
Gardienne: Arlette DIDIER
Réservation tél: 50 93 60 43 / 50 78 02 09
Adresse : 181 grande Rue 74170 CHEDDE
Caractéristiques : Nouveau refuge en
construction. Camping.

Refuge de PIERRE à BERARD - 1 924 m
Ouvert du 15/06 au 30/09
Dortoirs 40 places
Gardiennes: Cécile ANCEY et
Danièle DUCROZ
Réserv. tél : 50 54 60 10 / 50 54 62 08
Adresse : Les Posettes Refuge de
Pierre à Bérard - 74660 VALLORCINE
Caractéristiques : Réservation obligatoire
Douches.

Chalet-refuge LA BŒRNE - 1 417 m
Ouvert toute l'année
Dortoirs 34 places
Gardiens: Gilbert MUGNIER
et Sylvia STEENBAKKERS
Réservation tél: 50 54 05 14
Adresse : La Boerne - Tréléchamp
74400 ARGENTIERE
Caractéristiques : Eau chaude.
Provisions à emporter sur demande.

Refuge du LAC BLANC - 2 350 m
Ouvert du 15/06 au 15/09
Dortoirs 55 places
Gardien: Jean-Charles SAGE
Réservation tél: 50 53 49 14 / 50 47 24 49
Adresse : Le Mont - 74310 SERVOZ
Caractéristiques : Réserve des Aiguilles
Rouges. Demi-pension obligatoire.

Chalet-Refuge de la FLEGERE - 1 877 m
Ouvert du 15/06 au 15/09
Chambres et dortoirs 90 places
Gardien: SOGERTAM "Le Blanchot"
Réservation tél: 50 53 06 13 / 50 53 30 80
Adresse : BP 56 - 74402 CHAMONIX
Caractéristiques : Eau chaude.
Accès téléphérique

Refuge de BEL LACHAT - 2 152 m
Ouvert du 25/06 au 15/09
Dortoir 30 places
Gardien: Georges BALMAT
Réserv. tél. : 50 53 43 23 / 50 53 46 99
Adresse : 305 route de Vers le Nant - Les Granges - 74400 CHAMONIX
Caractéristiques : Vue panoramique.

Auberge de MERLET - 1 534 m
Ouvert du 01/07 au 30/09
Buvette-restauration seulement
Gardien: Marc BALMAT
Réservation tél: 50 55 97 60 / 50 53 47 89
Adresse : 74310 LES HOUCHES
Caractéristiques : Située au sein du parc animalier privé de Merlet.

Home SAINT-MAURICE - 820 m
Ouvert toute l'année
Dortoir: 60 pl. Chambres: 20 places
Gardienne: Thérèse FELISAZ
Réservation tél: 50 47 20 99 / 50 47 21 48
Adresse : Le Vieux Servoz 74310 SERVOZ
Caractéristiques : Petit hôtel de vallée.

Ferme Les MARMOTTES - 2 000 m
Ouvert du 20/06 au 20/09
Restauration seulement
Dominique & René MABBOUX

Gîte des FOVRENTS - 971 m
Ouvert du 15/06 au 15/09
Dortoirs 20 places
Gardienne: Ginette GRIVELLI
Réservation tél: 50 93 37 20 / 50 58 63 89
Adresse : Gîte des Fovrents
74920 COMBLOUX
Caractéristiques : Gîte en village.

Refuge du MONT JOLY - 2 002 m
Ouvert du 30/06 au 30/09
Dortoir 20 places
Gardien: Gérard LEGON
Réservation tél: 50 21 19 63 / 50 93 48 26
Adresse : 611 route de Tague
74170 ST GERVAIS
Caractéristiques : Vue panoramique.

Refuge de DORAN - 1 500 m
Ouvert du 01/06 au 30/09
80 places en dortoirs de 4, 6 et 10 places
Gardien : André BOTTOLLIER-CURTET
Réserv. tél: 50 58 08 00 / 50 58 03 57
Adresse : 3 place de la Grenette
74700 SALLANCHES
Caractéristiques : Eau chaude.

Ferme d'alpage PORCHEREY - 1 800 m
Catherine et Marc RIGOLE
Vente de boissons et de produits de la ferme

Réalisation

SYNDICAT INTERCOMMUNAL DU PAYS DU MONT-BLANC :
créateur du tour pédestre du Pays du Mt-Blanc.
Président : Michel CHARLET
Responsable des sentiers : René BOZON.
Secrétariat : Denys DELAPIERRE et Gislhaine RAVANEL
Repérage et balisage des sentiers :
Bernard RIOUFRAYS et Eric THIOLIERE, accompagnateurs en montagne.
Entretien des sentiers : Services Techniques des communes traversées et services de l'Office National des Forêts.
EDITION DU TOPO-GUIDE :
SIVOM Pays du Mont-Blanc, en collaboration avec la FFRP et ses représentants.
Descriptif des itinéraires :
Bernard RIOUFRAYS et Eric THIOLIERE.

Textes : Joëlle PACCALET, Michel DELAMETTE .
Maquette PAO: Joëlle PACCALET(Service Communication de la Mairie de Chamonix Mont-Blanc).
A l'écoute de vos remarques et suggestions: Syndicat Intercommunal Pays du Mont-Blanc, voir page 14.
Crédit photos :
Office du Tourisme de Cordon: page 76
Office du Tourisme de Combloux : pages 76 -78
Office du Tourisme Les Contamines-Montjoie : pages 3 - 25 - 26 - 76
Office du Tourisme St Gervais : page 76
Eric THIOLIERE : pages 1 - 20 - 27 - 29 - 35 - 49 - 54 - 57 - 59 - 61 - 63 - 67 - 68 - 71 - 75 - 77 - 86
Bernard RIOUFRAYS : pages 28 - 47 - 51 - 54 - 62 - 63 - 75 - 77
Denys DELAPIERRE : pages 38 - 40 - 44
Joëlle PACCALET : pages 28 - 29 - 75
René EPINAT : page 76

Le col de Véry et les crêtes de Praz-sur-Arly

La Région Traversée

Le Pays du Mont-Blanc ... Ces mots ont été de maintes fois utilisés et, séparément, portent en eux autant de concepts, d'images ou de significations différentes. Rassemblés, ces mots veulent dire une région avec une histoire, une tradition, une vie quotidienne, des hommes. La randonnée qui vous est proposée serpente dans les alpages, s'approche des glaciers, traverse les villages et cotoie les habitants. C'est une balade au cœur-même du pays.

Son cheminement permet d'accéder aux plus beaux sites, de contempler les plus beaux panoramas. Il ouvre de magnifiques fenêtres sur la haute montagne, monde minéral à la fois grandiose et mythique : il frôle le Glacier de Bionnassay, pénètre dans le cirque de Miage et longe la base des Glaciers d'Armancette et de Tré-la-Tête. Ailleurs, il grimpe jusqu'à 2 500 mètres d'altitude : au col de Salenton, limite des neiges éternelles, domaine des vents, ou au sommet du Brévent où l'on peut, comme Horace Bénédict de Saussure en 1760, mesurer la "hauteur prodigieuse" du Mont-Blanc, point culminant de l'Europe.

Son cheminement permet également de découvrir un pays chargé d'histoire. Les vestiges les plus anciens datent de l'Age de Bronze, et même de l'Age de Pierre, et l'itinéraire emprunte des routes jalonnées de longue date : le Col de la Forclaz (limite entre les Ceutrons et les Allobroges), le Col de Jaillet et le Col de l'Avenaz où l'on a retrouvé des bornes gallo-romaines, le passage de la Rateria à Servoz (vestiges d'aqueduc romain), la voie romaine à Notre-Dame de la Gorge ou l'emplacement du Château de Charousse (XIIIe siècle), aux Julliards. Les édifices religieux sont les livres d'histoire du Pays du Mont-Blanc, et les nombreux oratoires, calvaires et chapelles témoignent d'une époque d'intense piété. Quant aux églises, elles ont presque toutes été construites (ou reconstruites) à la même époque par les bâtisseurs italiens : clochers à bulbe d'inspiration bizantine, décors intérieurs baroques recouverts de feuilles d'or ou peints de couleurs vives.

Son cheminement offre en outre au randonneur une belle leçon de travaux pratiques de géographie et géologie. Roches cristallines et sédimentaires, les formations montagneuses rencontrées tournent les pages du grand livre de la formation planétaire. Névés et glaciers des hautes altitudes, torrents impétueux rythmés de cascades rugissantes, ruisselets courant dans l'herbe fraîche, plaine alluviale où la rivière s'assagit enfin ... le tour pédestre du Pays du Mont-Blanc explique le système orographique et hydrographique de la région.

En traversant les bourgs et les hameaux, en marchant au milieu des alpages, en dormant dans les refuges, le randonneur cotoie les habitants du Pays du Mont-Blanc. L'agriculteur de montagne, "jardinier de l'Alpe", voyait son activité décliner par manque de moyens financiers : les collectivités locales, et notamment le SIVOM Pays du Mont-Blanc, essaient de lui apporter le soutien moral et matériel dont il a besoin. L'artisanat et la petite industrie connaissent un regain d'intérêt, et les professionnels du tourisme, riches de deux siècles d'expérience, sont bien présents dans la vie du pays. Moniteurs de ski ou guides, accompagnateurs en montagne ou hôteliers, employés de remontée mécanique ou commerçants, ils aiment leur pays.

Les cinq réserves naturelles nous offrent la possibilité de nous initier aux merveilles de la nature. La flore et la faune sont désormais sauvegardées au sein de leurs périmètres de protection, et les biotopes un peu fragiles qui avaient disparu, ou qui risquaient de disparaître, retrouvent petit à petit leur place.

Le Tour Pédestre du Pays du Mont-Blanc, c'est aussi, et surtout, une randonnée pastorale. Prairies de montagne aux mille fleurs du côté de Mayères, pelouses alpines aux plantes acaules du Christomet où les moutons paissent en semi-liberté, herbe rase battue par les vents du Col de Véry, s'ouvrant sur des espaces somptueux de vallons encaissés ou de vallées riantes où l'homme s'est installé, prés, champs, forêts ... Les paysages changent , avec les différents étages de végétation, dans une infinie variété de verts, du plus sombre épicéa au plus tendre bourgeon de hêtre.

Laissant à chacun le choix des étapes selon ses goûts, cette randonnée donne une impression de sécurité et de quiétude. Elle invite à la contemplation et au partage, avec des points de vue superbes, dans une nature à laquelle l'homme a su s'adapter et que le Mont-Blanc, omniprésent, a marquée de son sceau.

Paysages et Histoire Géologique au Pays du Mont-Blanc

Texte et photos : Michel DELAMETTE, géologue
(Universités de Lyon et Genève)

Située à la frontière entre Alpes internes et Alpes externes,la région du Mont-Blanc possède un patrimoine géologique exceptionnel.
En témoigne la variété des paysages qui, des aiguilles élancées du granite du Mont-Blanc, mène aux murailles calcaires régulièrement stratifiées des Fiz et Aravis, en passant par les formes plus massives des gneiss des Aiguilles Rouges et les croupes argileuses arrondies du Mont-Joly et de Croisse-Baulet.
Pour les géologues, cette diversité s'ordonne en deux ensembles originellement superposés et aux passés bien différents, respectivement appelés socles et couvertures.

Mont-Blanc, Aiguilles Rouges et Pormenaz : SOCLE ANTE-ALPIN RAJEUNI

Formé d'une mosaïque de roches cristallines et de vieilles roches sédimentaires légèrement métamorphisées, ce socle témoigne d'une histoire antérieure à la formation des Alpes.
Agées de plus de 350 millions d'années, les roches cristallines (granites, gneiss, amphibolites) constituent la partie est de la Montagne de Pormenaz (versant de la Diosaz) et la quasi-totalité des massifs du Mont-Blanc et des Aiguilles Rouges.

Granite à grands cristaux d'orthose (feldspath), roche du socle de Pormenaz vieux de plus de 360 millions d'années

Formant deux bandes, l'une à cheval sur les montagnes du Prarion, de Pormenaz et de l'Aiguillette des Houches, l'autre courant des Posettes aux gorges de Trient, les vieilles roches sédimentaires du socle comprennent les argilites sombres ("ardoisières" des Posettes et de Montvauthier) parfois à empreintes de végétaux (fossiles de fougères aux chalets de Moëde), des couches de charbon (anciennes exploitations de Coupeau et Servoz) et des grès et conglomérats disposés en chenaux. La couleur noire dominante est à l'origine de certaines dénominations toponymiques telles que Pointe Noire (Pormenaz), Tête Noire (Prarion), Eau Noire (Vallorcine). Ces roches détritiques correspondent à des remplissages lacustres et torrentiels mis en place à la fin des temps carbonifères (entre - 330 et - 300 millions d'années) dans des fossés d'effondrement encastrés dans les roches cristallines.

Calcaire à Nérinées de la muraille supérieure des Fiz (vers -112 millions d'années). Les Nérinées sont des gastéropodes fossiles des milieux récifaux du Crétacé inférieur.

De Chamonix à Platé et aux Aravis, en passant par le Buet et le Mont-Joly : LES COUVERTURES SEDIMENTAIRES

Les roches du socle, déformées puis aplanies par l'érosion à la fin de l'ère primaire, ont servi de soubassement aux matériaux déposés dans les mers successives ayant occupé le Pays du Mont-Blanc durant les ères secondaire et tertiaire. Formant la vallée de Chamonix, les montagnes du Buet, du Mont-Joly, de Platé et des Aravis, ces matériaux de couverture régulièrement stratifiés renferment de nombreux fossiles (ammonites, oursins, coraux, etc.). Ce sont là les témoins de la longue histoire essentiellemnt marine, histoire ayant débuté il y a environ 230 millions d'années (dinosaures du Vieil Emosson) et s'étant achevée vers - 30 millions d'années (grès de type *flysch* de la Pointe de Platé et de la Tête à l'Ane aux Fiz).

La muraille sédimentaire des Fiz (couverture charriée) et le socle de la Montagne de Pormenaz s'affrontent de part et d'autre du ravin du Souay.

MISE EN PLACE DES RELIEFS ET SCULPTURES DU PAYSAGE

C'est au milieu de la période Tertiaire (vers - 30 millions d'années) que s'achève l'accumulation des dépôts marins dans le Pays du Mont-Blanc. Comblée par l'arrivée des masses charriées du Chabais, la mer disparaît. La déformation, génératrice de plissements et de failles, prend le relais mais les reliefs résultants sont encore peu élevés. Les socles du Mont-Blanc et des Aiguilles Rouges sont encore enfouis sous leur couverture.

Au cours des cinq derniers millions d'années, le soulèvement l'emporte sur les déplacements horizontaux. L'accentuation du relief en résultant permet la mise à jour des roches du socle pointant au travers de leur couverture sédimentaire. Le célèbre chapeau de l'Aiguille du Belvédère (Aiguilles Rouges) et les Grès Singuliers du Rocher du Bonhomme (Haut Val Montjoie), sont ainsi des lambeaux de couverture perchés sur des socles surélevés.

De - 2 millions d'années et jusqu'à il y a environ - 10 000 ans seulement, plusieurs glaciations se succèdent, aménageant le paysage par des sur-creusements dans les roches tendres (vallées de Chamonix et des Contamines), un polissage des roches dures (roches moutonnées de Pormenaz, du Lac Blanc, du Désert d'Arlevé, de la Flatière, de la Rosière) et des cordons de débris rocheux mal triés (moraines de la Poya, de Merlet).

Aux alentours de - 10 000 ans, nous entrons dans les paysages semblables du point de vue du relief à ceux que nous avons actuellement sous les yeux. A quelques points de détails près, liés aux fluctuations des glaciers actuels, les cartes de l'I.G.N. auraient pu être utilisées par nos lointains ancêtres magdaléniens dans leurs déplacements de chasse à l'ours ou au lynx ! ■

Les Réserves Naturelles

"La Savoie est sans contredit une des régions de la France, et même de l'Europe entière, qui offre au touriste le plus de beautés naturelles (...). On ne saurait donc trop faire connaître cette admirable contrée aux légions de visiteurs qui y accourent chaque année plus nombreux (...) pour y admirer ses sites grandioses et ses paysages féériques, y respirer l'air pur, fortifiant et reconstituant des hautes altitudes, escalader ses montagnes les plus belles du monde où trône, dans sa majesté sublime, le Mont-Blanc." (Extrait de l'avant-propos du Guide Moderne de la Savoie, édition de 1909).

A l'instar des précurseurs du XVIIIe siècle comme Rousseau, Ruskin ou Chateaubriand, les amoureux de la nature des années 1900 s'attachaient surtout à faire découvrir et aimer les sites pittoresques dont la vue enchantait les visiteurs.

Aujourd'hui, à la veille du XXIe siècle, cette démarche nous paraît incomplète: le patrimoine naturel est devenu une richesse collective et chacun en a pris conscience. Mais sa fragilité n'est un secret pour personne, et le besoin de le protéger, la nécessité de lui permettre de se reconstituer deviennent de plus en plus impératifs. La création des réserves naturelles, après celle des grands parcs nationaux, constitue un de ces moyens de protection. Le sauvetage "*in extremis*" du bouquetin par le Roi d'Italie Victor Emmanuel II est significatif: les quelques rescapés du Massif du Grand Paradis ont permis à l'espèce de survivre et toutes les populations alpines actuelles en sont issues.

La marmotte

Le Pays du Mont-Blanc compte, à lui seul, 5 réserves naturelles, c'est-à-dire 5 % des réserves nationales et 25 % des réserves régionales. Cerné au sud par le Parc National de la Vanoise, au sud-est par le Parc du Grand Paradis, à l'ouest par la réserve de Sixt et au nord-est par l'Espace Mont-Blanc (en cours d'élaboration), il est tout entier concerné par la protection de la nature.

La réserve des Aiguilles Rouges

La plus ancienne, la Réserve des Aiguilles Rouges, date de 1974, et s'étend sur 3 279 hectares. Le massif est constitué de gneiss renfermant du minerai de fer, ce qui lui donne cette coloration rougeâtre à l'origine de son nom.
Avec le chalet-laboratoire du Col des Montets, le besoin d'accueil et d'explication du public a pu être satisfait dès 1975. Un sentier botanique se promène à travers la rhodoraie, flirte avec les tourbières, et permet ainsi au promeneur d'associer le plaisir de la détente à celui de la découverte d'un biotope souvent mal connu. Les forêts d'épicéas envahissent les pentes exposées au sud, tandis que les versants orientés du côté de Vallorcine composent de magnifiques mélezins aux couleurs d'automne somptueuses.
Plus haut, Lac Blanc, Lac Cornu, Lacs Noirs, Lacs des Chéserys sont sertis dans des roches moutonnées par l'érosion glaciaire où les lichens, très résistants au froid et à la sécheresse, ont entamé une sérieuse colonisation. Dans les nombreux éboulis et pierriers, la marmotte a trouvé son domaine. Très vite familière, elle a été choisie comme emblème de la réserve.

La réserve des Contamines-Montjoie

La Réserve des Contamines-Montjoie a été créée en 1979 et s'étend sur une superficie de 5 500 hectares.
Elle est la seule, en Haute-Savoie, qui comprenne un système glaciaire s'élevant jusqu'à 3892 mètres d'altitude, à la limite de la vie, dans un environnement sub-polaire à l'étage nival. Les surfaces déglacées portent, là-aussi, les traces des pulsations des glaciers : rochers striés ou polis, moraines, dépressions des lacs Jovet. Géographiquement, elle se trouve enserrée entre les vallées in-

Le Pic Noir

ternes du Val d'Aoste, au climat continental sec, et les Préalpes calcaires du massif des Aravis, aux précipitations abondantes. Ses caractéristiques climatiques sont donc très particulières.
Par ailleurs, ses affleurements géologiques composés de granite, de gneiss et de schistes donnent au relief des formes variées et permettent une multitude d'espèces végétales.
Le couvert des forêts d'épicéas et le milieu acide favorisent, notamment, la formation assez rare de tourbières de pente où l'eau coule sur les sphaignes. L'orchidée "Dactylorchis des Sudètes" y a été identifiée en 1990. Elle s'ajoute harmonieusement aux 46 autres espèces rares que compte cette réserve.

La réserve de Passy

Créée en 1980, la Réserve de Passy s'étage entre 1347 et 2723 mètres d'altitude pour une superficie de 2 000 hectares essentiellement constitués d'alpages communaux. Située face au Mont-Blanc, elle domine la vallée de l'Arve, vallée chargée de tradition et d'histoire, passage obligé vers l'Italie.
Son intérêt majeur est d'être une zone de contact et de confrontation entre deux milieux très différents séparés par le vallon du Souay.
D'un côté le relief au modelé arrondi du massif de Pormenaz. Il est jalonné de lacs et de zones humides et correspond à un ensemble de terrains cristallins : granite, schistes ardoisiers et charbonneux à empreintes fossiles de plantes. Le gypaète y a été ré-introduit et le rhododendron, la campanule, la gentiane et l'arnica aiment ce sol siliceux. En sous-sol, se cache la magnifique malachite, minerai de cuivre vert, protégée au même titre que flore ou faune.
De l'autre, un relief dominé par la paroi abrupte de la chaîne des Fiz dessinant des créneaux et alimentant des éboulements (Dérochoir). Symbole des formations calcaires, on y trouve l'aster, l'androsace ou la primevère auricule. Avec un peu de chance, on pourra y admirer le délicat papillon Phébus aux ailes blanc-argent marquées de taches rouges.

Femelle bouquetin

Couleurs de Septembre à Carlaveyron

La réserve de Carlaveyron

L'itinéraire du Tour du Pays du Mont-Blanc longe, dans une de ses variantes, la toute récente réserve de Carlaveyron, créée en 1991 sur la commune des Houches.
Limitée au nord par les Gorges de la Diosaz, elle comprend les montagnes du Fer et de la Vorgealle et englobe les anciens alpages de Carlaveyron. C'est un superbe amphithéâtre qui garde l'avantage de ne pas disposer d'un accès trop facile.
Son caractère sauvage permet aux espèces les plus menacées, comme la gelinotte, le grand tétras ou l'aigle royal de s'y réfugier. Petits lacs, marécages et tourbières sont l'univers de la grenouille rousse et du triton alpestre. La gracieuse linaigrette et l'exceptionnel carex de Magellan apportent la douceur de leurs pastels.

Le fond des Gorges de la Diosaz est moins exploré que le plus lointain sommet des Antipodes: la forêt n'a jamais pu être exploitée et les arbres meurent sur pied. On y a recensé un specimen de sapin qui atteint 4,40 mètres de circonférence !

Soldanelles

Joubarbe

La réserve du Vallon de Bérard

Encastrée dans la réserve des Aiguilles Rouges, la dernière née des réserves, le Vallon de Bérard, date de 1992 et dépend de la commune de Vallorcine.

Elle se situe sur le versant ubac des aiguilles des Chamois, du Belvédère et de Bérard, et porte cinq petits glaciers rescapés du massif depuis le réchauffement faisant suite au "petit âge glaciaire" du XVIIIe siècle.

Le fond du vallon est formé des éboulis des aiguilles Rouges (cristallines) et du massif du Buet (sédimentaires), constituant un sol très varié. Mais son orientation favorise une grosse accumulation de neige qui ne fond qu'en été. Les plantes doivent s'adapter à cet environnement très rigoureux où la saison de reproduction est très courte : lichen, luzule marron et saule herbacé (le plus petit arbre du monde).

Au fond du vallon chante l'Eau de Bérard, véritable camaïeu de turquoises et d'aigues marines, domaine de la truite et du cincle plongeur, le fameux oiseau qui nage sous l'eau.

L'ensemble de cette vallée d'altitude constitue, avec les vallées de la Diosaz, puis de l'Arve et du Rhône, un couloir très fréquenté par les espèces migratrices, oiseaux et insectes.

Les ornithologues du Museum d'Histoire Naturelle l'ont choisi comme lieu d'expérimentation et ont, pendant plusieurs années successives, tendu des filets au Col de Bérard, ce qui leur a permis d'observer 72 espèces d'oiseaux migrateurs sur le chemin de l'Afrique et d'en baguer 46. ■

L'Eau du vallon de Bérard

Les rapaces

Combien de fois, Amis Randonneurs, avez-vous levé les yeux vers de lointains sommets, et avez-vous alors aperçu un aigle tournoyer dans le ciel, en quête de quelque proie ?
Mais, à propos, était-ce bien un aigle ...? Avez-vous bien remarqué ces détails qui, aujourd'hui, vous permettent de l'identifier ... de ne pas le confondre avec un de ses voisins, un de ces Maîtres-Oiseaux ...?

Les Aigles

Ils ont une grande taille, la tête proéminente avec un bec puissant, un long cou, de longues et larges ailes terminées par sept plumes écartées très caractéristiques : les rémiges.
Le vol est glissé, et le plané souvent majestueux.

Les Milans

Avec des ailes étroites et anguleuses et une queue fourchue, leur vol est souple et glissé. Ils affectionnent les vols au-dessus des eaux.

Les Eperviers et les Autours

Beaucoup plus petits, avec de courtes ailes arrondies et une longue queue, ils chassent à faible hauteur et poursuivent leurs proies par quelques battements rapides entre de longs glissés.

Les Buses

Elles ont un corps massif, de larges ailes, une large queue courte et arrondie,un bec relativement petit et un cou très court. Habituellement, on les voit planer en cercles, haut dans le ciel, pendant des heures, ailes tendues et un peu relevées.

Les Vautours

Enormes, comme des aigles, mais avec des ailes plus longues et la queue plus courte, les vautours tournoient pendant des heures à haute altitude, sans battre des ailes et se nourrissent de charogne.

Le Gypaete barbu

Récemment réintroduit dans le massif du Bargy en Haute-Savoie, il se nourrit essentiellement d'ossements et doit, de ce fait, couvrir un territoire immense.

Les Faucons

Ils ont une tête assez grosse, de longues ailes pointues, une queue assez longue et étroite. Des battements d'aile précipités mais sans ampleur donnent à leur vol une rapidité extrême.
Certains tuent leurs proies en piquant sur elles à une vitesse foudroyante.

Les Busards

Sveltes, le corps allongé, avec de longues ailes un peu coudées et une longue queue, ils ont un vol bas et louvoyant, un peu mou et glissé, rythmé de battements occasionnels avec les ailes en **V** très ouvert.

Les Chouettes et les

Même si vous randonnez par soirée de pleine lune, ils vous sera toujours difficile de rencontrer ces mystérieux oiseaux dont les yeux scrutent la nuit . Par contre, vous pourrez observer les pelotes de déjections qu'ils rejettent, témoins de leur passage récent. Avec une grosse tête, les deux grands disques facieux de leurs yeux, ils ont le bec crochu et les serres puissantes, à demi cachées.
Leurs pattes sont emplumées et leur vol silencieux. Les hiboux sont plus gros et possèdent, à l'inverse des chouettes, deux petites aigrettes ou "oreilles".

L'itinéraire

Cet itinéraire, une boucle au Pays du Mont-Blanc, traverse de nombreux villages très bien desservis où l'on trouvera : commerces de toute nature (ravitaillement complet, pharmacies, PTT, banques et bureaux de change, hôtels et restaurants, appartements meublés, gîtes d'étape, campings), ainsi que médecins et moyens de transport.
A noter qu'il est assez facile de les relier entre eux grâce aux transports publics locaux, ou d'établir une correspondance avec n'importe quelle autre région.
Parmi tous les points de départ possibles , il nous est apparu intéressant de choisir le village des Houches, celui-ci offrant le cadre montagnard et les structures recherchées, notamment une bonne desserte SNCF sur la ligne Saint-Gervais -Le Fayet / Chamonix / Martigny (Suisse)

En sortant de la gare SNCF des Houches, descendre légèrement pour traverser , à droite, la rivière Arve au pont routier / Barrage EDF. Continuer tout droit par la route, et après une courte montée, le centre du village se trouve à droite.

1 Les Houches -1 000 m

Les Houches:
Ce nom vient du mot celtique "olca" qui désigne une parcelle défrichée située généralement au voisinage d'une habitation à laquelle elle fournit quelques denrées, notamment des céréales. Cette partie de la vallée de Chamonix a sans doute été une des premières à être cultivée : la plus ensoleillée, la moins sujette aux inondations et aux avalanches, les sols les moins arides ... C'est aux Houches, par la trouée de Vaudagne, que les premiers voyageurs anglais, les fameux Windham et Pocock, sont entrés dans la vallée.

De l'église, *construite entre 1734 et 1766 au magnifique rétable baroque (voir page 76),* se diriger horizontalement par la route au travers du village. Laisser immédiatement à gauche mairie, supermarché et office du tourisme, et passer le téléphérique de Bellevue (10 min). Continuer dans la même direction générale pour emprunter le tunnel de "La Verte", *célèbre piste de ski alpin utilisée lors des plus grandes compétitions de descente, Hommes et Femmes.*
Laisser à gauche un premier chemin de terre, puis dans la courbe de la route, prendre à gauche un passage qui mène au sentier. Attention ! La bifurcation n'est

pas évidente. Utiliser les marches d'escalier, passer à côté du bassin, puis devant les habitations le sentier monte à gauche, directement à travers champs. (En aucun cas il ne faut atteindre la Chapelle du Fouilly, la bifurcation se situe environ 50 m avant). Atteindre un chalet isolé, puis, utiliser sur une courte distance le chemin carrossable d'accès aux maisons. A gauche, un raccourci rejoint le hameau: **Les Crets**.
Ici, une ancienne ferme a été agréablement restaurée en gîte d'étape. Ces locaux, par ailleurs très fonctionnels, sont pourtant riches de traditions.

Suivre en traversée une dernière portion de route. *A proximité immédiate, on remarque le chalet-gîte des Amis de la Nature à grande capacité d'accueil.* La route s'arrête au village des Chavants. Prendre alors à gauche un large chemin jusqu'au très beau site de Charousse (*anciennes fermes du pays*). Peu au-dessus, aux Granges des Chavants (1250m), le sentier bifurque à droite. D'abord en zone humide, puis par une côte très raide, il atteint

 2 h 30 - Le Col de la Forclaz - 1 533 m

Forclaz : nom très répandu, du latin "furcula" qui, de "petite fourche" à l'origine, a pris le sens de "petit col", passage de montagne.

Ce col a la particularité d'être entièrement en zone forestière. C'est également l'emplacement d'une limite naturelle remarquable séparant à l'époque romaine les zones d'influence de deux peuples : les Ceutrons au nord-est, et les Allobroges au sud-ouest, ainsi qu'en témoigne une borne frontière vestige,découverte en 1852 peu en aval du site, à l'Arlioz.La transcription en français nous indique que : *" De l'autorité de l'imperator CésarVespasien, Auguste, grand pontife, exerçant la puissance tribunicienne depuis cinq ans, consul pour la cinquième fois, désigné pour la sixième, père de la patrie, Cneius Pinarius de la tribu Cornélia, surnommé Clémens, son légat, propréteur de l'armée de la Haute Germanie, a délimité entre les Viennois et les Ceutrons."*

Au Col de la Forclaz, deux variantes se détachent de l'itinéraire principal :
- Variante vers le Col du Jaillet par Bionnay - St Nicolas de Véroce - Megève, à gauche, légèrement en diagonale par un chemin forestier.(Description page 82)

les Plagnes
Tête Noire 1746
Col de la Forclaz
Vaudagne
la Villiaz
les Bouchards
Montfort
le Pontet
Charousse
le Coupeau
le Grand Clos
Mont Paccard
St-Gervais-les-Bains
les Chavants
les Houches
le Prarion
Granges des Chavants
les Corbassières
le Plancert
Chalet des Anglais
les Baux Chalets
GR de Pays Mont-Blanc
Variante GR TPMB
la Maison Neuve
le Pralet
les Basses
Hôtel du Prarion
le Terrain
la Friaz
Bellevarde
Roche Noire
les Lavouats
la Toile
les Praz
Champlet
les Maisonnettes
Tête de la Charme
Col de Voza
Chalet de Praz Dru
les Bernards
Motivon
les Sellières
le Fioux
Bellevue
la Chalette
Mont Lachat
les Maisons
le Planet
Bionnay
les Bettières
le Mont
Bionnassay
le Crozat
sur les Maures
Tête du Chêne
les Follies
la Fontaine
Chalet de l'Are
Chalet du Chalère
les Chattrix
le Vivier
le Champel
l'Ormey
la Joux
les Abrupts de Vorassay
le Mont Blanc
St-Nicolas-de-Véroce
la Villette
Mont Vorassay
le Bay
la Turche derrière
Col de Tricot
Vérece
la Gruvaz
les Chozalets
Pointe Inférieure de Tricot
Tresse
le Quy
la Grangette
le Crouet
Pointe Centrale
le Crêt
Maison Neuve
Mont Truc
Chalets de Miage
les Hoches
Chalets du Truc
la Chapelle
le Mollet
la Favière
le Champelet
la Revenaz
Tête d'Armancette
la Chovettaz
le Monthieu
la Frasse
les Contamines-Montjoie
Pointe de Covagnet
Nivorin
les Loyers
Chalets d'Armancette
la Vy
2 3 4 5 6 7 8 9 10
A B
85 84 83 82 81 80 79 78 77

- Variante vers les Mollays par le Vieux Servoz, à droite par un chemin forestier. (Description depuis Plaine-Joux. Repère 39)(Pages 60 et 80)

A la clairière du col, prendre le chemin à gauche en direction du Prarion. Diverses sentes se réunissent bientôt en un sentier bien entretenu, se rétrécissant parfois, menant à un promontoire exceptionnel :

3 1 h 30 - Le Prarion - 1 969 m

Panorama de 360 degrés englobant le massif du Mont-Blanc, la vallée de Chamonix, les Aiguilles Rouges, la chaîne des Fiz, la vallée de l'Arve et la ville de Sallanches, la chaîne des Aravis, les coteaux de Combloux, Megève, St Gervais, la vallée des Contamines que domine le Mont Joly.
Du sommet du Prarion, suivre la large arête. Beaucoup plus bas, le chemin contourne la gare du télécabine (liaison avec les Houches) et remonte vers la table d'orientation. Quelques mètres plus loins se trouve

20 min - L'hôtel-refuge du Prarion - 1 860 m

A l'angle ouest du bâtiment commence la traversée du plateau du Prarion, ancien lieu d'exploitation d'ardoises, maintenant espace privilégié du ski alpin et du ski de fond.

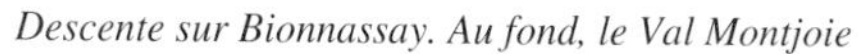

Descente sur Bionnassay. Au fond, le Val Montjoie

Le cheminement demande de l'attention pour suivre le balisage au sol. Depuis le dernier panneau, monter doucement à gauche, décrire une longue courbe à droite le long d'une zone humide, puis, à gauche, franchir un petit dôme avant d'apercevoir une première bâtisse. Suivre ensuite pendant quelques minutes un chemin carrossable pour arriver à

5 30 min - La Charme - 1 799m

La vue y est splendide sur tout le pays du Mont-Blanc.
Peu après ce chalet d'alpage, quitter cette piste pour prendre à droite et à angle droit un chemin peu marqué qui descend assez fortement le long d'un muret de pierres. Descendre ainsi jusqu'au bas de la clairière, puis prendre à gauche le sentier en forêt. A l'intersection suivante, prendre à droite. Au carrefour, appelé "La Tête du Chêne" (1 580 m), prendre à gauche le chemin horizontal qui traverse bientôt la ligne du tramway du Mont-Blanc et arrive ainsi au chalet "Le Mont" (1 510 m).

Le Tramway du Mont-Blanc
En ce début de siècle, l'aménagement touristique des Alpes est en plein essor, et nos voisins, Suisse et Autriche, usent de toute la technologie dont ils disposent. Partout, on rivalise d'audace et d'ingéniosité pour construire les viaducs et percer les tunnels d'un réseau ferroviaire toujours plus dense. Rien d'étonnant, dans ce contexte, qu'un projet de train ralliant le sommet du Mont-Blanc ait germé dans l'esprit de certains aménageurs. Qu'on se souvienne : en 1890, le train arrive à Cluses, en 1898 au Fayet; en 1901 à Chamonix (l'été); en 1906 à Argentière; et en 1908 à Vallorcine et la frontière suisse. Parallèlement, le train du Montenvers est inauguré en 1908.
Les travaux du TMB, après les inévitables tergiversations et bagarres entre projets (itinéraire, financement, autorisation...) commencent en 1905. Pour leur réalisation, de nombreux ouvriers italiens se font embaucher, ce qui n'ira pas sans poser des problèmes relationnels avec les gens du pays. Jusqu'au Col de Voza, on ne rencontre aucune difficulté, le train y arrive en 1909. La suite sera beaucoup plus ardue, et en 1913, le train n'arrive qu'aux Rognes (actuel terminus du Nid d'Aigle). La guerre va interrompre provisoirement puis définitivement la poursuite des travaux.
Aujourd'hui le petit train de montagne aux wagons jaunes et bleus gravit, grâce à sa crémaillère, des pentes à 25 %.

A l'angle arrière de ce chalet, le sentier tourne perpendiculairement à droite avant de rejoindre à la descente une piste forestière puis les prairies du hameau de

6 50 min - Bionnassay - 1 320m

Hameau montagnard typique de la commune de Saint Gervais, habité autrefois par 90 familles disséminées dans ce vallon. Dès 1784, il a été le point de départ des premières expéditions pour la conquête du Mont-Blanc.
L'itinéraire est, à partir d'ici, commun avec ceux du Tour du Mont-Blanc et du GR5 jusqu'à "Le Champel".

1892 - Catastrophe de Bionnassay et St Gervais
L'établissement thermal au XIXe siècle :
En 1806, St-Gervais fait partie du département du Léman. C'est un village agricole assez pauvre, dont certains habitants sont contraints d'émigrer vers Lyon et Paris pour y trouver du travail. Dans ce contexte, la découverte de la source thermale par Joseph Marie Gonthard, notaire, va modifier complètement le paysage économique. Cet homme, sourcilleux et sans doute mal aimé des habitants du pays , va, en l'espace de quelques années, se rendre propriétaire du terrain sur lequel jaillit la source chaude, s'assurer de la qualité de l'eau en la faisant analyser, construire, puis agrandir son établissement thermal à qui il donnera un esprit particulier si plaisant qu'il sera bientôt capable de recevoir 300 personnes. C'est le début d'un nouvel essor pour St Gervais qui va accueillir pendant près d'un siècle une clientèle très aisée qui vient "prendre les eaux" pour se soigner, se délasser mais aussi se montrer, ainsi que l'exige la position sociale.
La nuit tragique du 11 Juillet 1892
La saison thermale, cet été-là a bien commencé, et l'établissement compte, en dehors des 54 personnes qui travaillent, 90 curistes. Il fait beau, et même très chaud. En montagne, la fonte des neiges et des glaces est importante, et à l'intérieur du Glacier de Tête-Rousse, l'eau de fonte s'accumule peu à peu, atteignant bientôt un volume colossal (on parle de 100 000 m3). Cette poche d'eau n'a pas trouvé d'exutoire pour se libérer progressivement, et elle reste ainsi captive du glacier, invisible depuis la surface, jusqu'au moment où son "couvercle" s'effondre. La masse jugulée de l'eau et de la glace est alors telle que le front du glacier cède à son tour, libérant d'un seul coup un flot meurtrier qui va débouler dans le vallon de Bionnassay. Son volume augmente encore des rochers et débris qu'il arrache à la montagne. Il emporte le village de Bionnay avant de s'engouffrer dans la vallée du Bonnant. Au défilé du Diable, il atteint une hauteur de 30 mètres, et au débouché de la gorge, il frappe de plein fouet sur les bâtiments des Thermes, avant de répandre ses 200 000 m3 de boue dans la plaine du Fayet, au terme d'une course folle de 15 km. On évalue à 200 le nombre de victimes de ce cauchemar qui n'a duré que 35 minutes !

St Gervais :

Monter un peu par la route. A droite, *l'auberge de "Bionnassay", gîte d'étape, est réputée pour ses spécialités culinaires.*
Traverser le hameau par le chemin qui permet d'admirer l'ancienne chapelle puis descendre vers les rives du torrent de Bionnassay. Une passerelle en permet le franchis-

sement. Quelques lacets dans le bois, puis une traversée confortable pour arriver au hameau de

7 45 min - Le Champel - 1 225 m

Dès les premières maisons, prendre à gauche un passage qui zigzague entre les habitations, et se poursuit par une montée raide à travers champs au sortir du hameau.Le sentier grimpe alors en zone forestière, puis, très aérien, domine les gorges de la Gruvaz creusées par le torrent de Miage avant d'arriver aux

En approchant des chalets de Miage

8 1 h 30 - Chalets de Miage - 1 599 m

Les chalets de Miage constituent un hameau d'alpage dans un cirque grandiose au pied de l'Aiguille de Bionnassay et des Dômes de Miage. Le refuge se distingue par sa belle terrasse colorée et fleurie.

Après avoir traversé le torrent par deux ponts successifs, le sentier commence à gauche par une montée rapide en lacets pour déboucher sur le Plateau du Truc qui offre un magnifique panorama sur la vallée de l'Arve, le Mont Joly et les Dômes de Miage. On y trouve les

9 35 min - Chalets du Truc - 1 720 m

En langage celtique, "Truc" désigne un sommet pointu ou arrondi. Ici le Mont Truc (1 811 m) domine les alpages au cœur desquels sont nichés quelques chalets. Parmi eux, un refuge familial et convivial.
Descendre par une voie forestière jusqu'au premier virage en épingle.Quelques mètres plus bas, quitter ce chemin et prendre à gauche le raccourci qui pénètre en sous-bois, puis bientôt, dans la Réserve Naturelle des Contamines-Montjoie. Après une perte rapide de dénivelé, on gagne, les

(10) 35 min - Granges de la Frasse - 1 350 m

Le GR ne descend pas jusqu'au village des Contamines, que l'on peut atteindre par ailleurs en 20 min, mais continue par une route forestière à flanc de montagne avant de remonter jusqu'à un oratoire et un bassin de granit.

Hors GR : Les Contamines-Montjoie et Notre-Dame de la Gorge
Une histoire laborieuse :
Le Val Montjoie a, tour à tour, été dépendant des Evêques de Tarentaise, puis de la Cité de Genève, des Comtes de Savoie, et enfin des Seigneurs du Faucigny pour devenir français sous François 1er. Il réintègre plus tard la Maison de Savoie et le Domaine Sarde, est à nouveau français pendant quelques années pour repasser dans le Royaume de Piémont-Sardaigne jusqu'à l'Annexion de 1860 . Ouf!
L'ermitage de Notre-Dame de la Gorge date de 1090 et devient paroisse en 1443. Il ne compte que 30 familles de paroissiens. C'est très peu, mais par contre les voyageurs sont très nombreux à y faire halte. Les "vestiges de la Voie Romaine", que l'on emprunte encore pour rallier Nant-Borrant, attestent de sa haute fréquentation depuis des temps très reculés. La chapelle actuelle, dans le plus pur style baroque, date de la fin du XVIIe siècle. Elle est l'œuvre de l'entrepreneur italien Jean de la Vogna.
Parallèlement, l'église des Contamines, construite en 1759 témoigne de la volonté des habitants du village de gagner leur indépendance par rapport à la paroisse de St Nicolas de Véroce à laquelle ils étaient rattachés.

Les Contamines : $

Laisser à gauche les chalets d'Armancette. Gagner à droite le Nant d'Armancette que l'on traverse dans sa partie basse (direction Les Feugiers) avant de s'élever au maximum dans la combe (rive gauche du torrent).
NB : il est également possible de passer par le lac d'Armancette, mais cet itinéraire présente des difficultés lors de la traversée du torrent. Il n'existe pas de pont et le franchissement des eaux reste délicat, tout particulièrement en période de fonte des neiges, par temps d'orage ou de pluie.
Dans les deux cas, on rejoint le sentier panoramique qui domine le Val Montjoie, et qui est appelé sentier ***"Claudius Bernard"*** en souvenir de cet ingénieur de l'Office National des Forêts qui a participé au tracé de cet itinéraire.
Le sentier s'étire en balcon jusqu'au

11 2 h 35 - Refuge de Tré la Tête - 1 970 m

Ancien refuge étape vers les plus hauts sommets dominant le Val Montjoie.

Sur la route du Mont-Blanc, une nuit au refuge du Goûter en 1859
"Le premier soin de nos guides (...) fut d'ouvrir la cabane; ce ne fut pas chose aisée (...), l'eau ayant filtré entre les joints des planches, et s'étant congelée entre les parois, il fallait forcer l'entrée à grands coups de pieds et de hâche.(...) Quand ce travail fut accompli, on alluma sur un quartier du roc, au milieu de la chambre, un bon feu au moyen des bûches que les porteurs avaient amenées (...). Mais un autre inconvénient se présenta. Le feu avait fondu les restes de glace attachés aux parois et au plancher, et la cabane se trouvait maintenant transformée en lac (...).
L'orage nous entourait, il n'y avait pas à en douter. Le guide-chef était inquiet, les éclairs et les tonnerres se succédaient (...). La première idée que nous eûmes fût de sortir de la cabane les objets qui pouvaient attirer sur elle la décharge électrique. Deux d'entre nous étaient munis de petites boussoles; on alla les enfouir à une vingtaine de pas dans la neige; les bâtons ferrés des voyageurs, les piolets des guides, furent également plantés à quelque distance dans la neige où le fer en bruissait comme s'il eût été rougi au feu (...).
Après un certain temps de l'état anxieux dans lequel nous étions plongés, et qui était peut-être causé autant par l'effet physique de l'électricité sur nos organes que par l'appréhension du danger, la grêle et la neige tombèrent avec force, poussées par des rafales de vent qui fouettaient notre cabane (...)."
Extrait du récit de Jules César Ducommun - 1859

Descente du Refuge de Tré-la-Tête

Après le refuge, descendre le long de l'ancienne moraine du glacier de Tré la Tête. Le chemin, parfois rapide, passe à proximité de la cascade de Combe Noire où aurait été tué le dernier ours de la vallée, le 22 Juin 1835.

Le glacier de Tré-la-Tête
Prenant naissance sous les Dômes de Miage, le Glacier de Tré-la-Tête s'étend sur une superficie de 11 km2 pour 1900 mètres de dénivelé et possède un important torrent sous-glaciaire dont les eaux ont été captées pour alimenter le barrage EDF de la Girotte dans le Beaufortin. C'est en 1941 que commence une vaste réalisation "première en France": la construction d'un barrage sous une épaisseur de glace de 86 mètres, au bout d'une galerie sous-glaciaire de 170 mètres. L'eau ainsi recueillie "voyage" tout au long des 10 km de galeries où, étonnamment, la température de l'air ambiant se stabilise(à partir de 30 mètres de l'entrée) au dessus de zéro degré!

Aux chalets de la Laya (fontaine), continuer par le chemin d'accès aux chalets, à droite jusqu'au pont de la Laya et suivre le torrent en le remontant pour arriver au:

1 h 30 - Refuge de Nant Borrant - 1459 m

Situé au sommet d'une clairière, c'est un charmant vieux chalet d'alpage qui sert aujourd'hui de refuge. On retrouve ici les itinéraires du GR5 et du Tour du Mont-Blanc au balisage blanc et rouge.
Sur un large chemin pastoral, le parcours est facile en fond de vallon. A la sortie du bois, la vue s'étend sur les Aiguilles de la Pennaz et le col du Bonhomme.Vaste alpage avec fontaine située sur la gauche. L'itinéraire continue de monter à

1 h - La Balme - 1 706 m

Chalet-refuge bien situé et très fréquenté. Réservation obligatoire.
Quelques mètres au-dessus du chalet, laisser à gauche le chemin conduisant au col du Bonhomme, lieu de passage du GR5 et du TMB.
Le Tour du Pays du Mont-Blanc continue à droite (ouest) par le large chemin pastoral, puis bifurque à nouveau à droite vers le fond du cirque avant de retrouver un raccourci qui évite la longue boucle de la route.
Près d'une petite mare *(qui sert d'abreuvoir pour les vaches)* on laisse le chemin pastoral des Prés pour prendre la montée *(commune avec le Tour du Beaufortin)* qui serpente pour atteindre un replat et un pierrier que l'on traverse en diagonale jusqu'au

1 h 45 - Col de la Fenêtre - 2 245 m

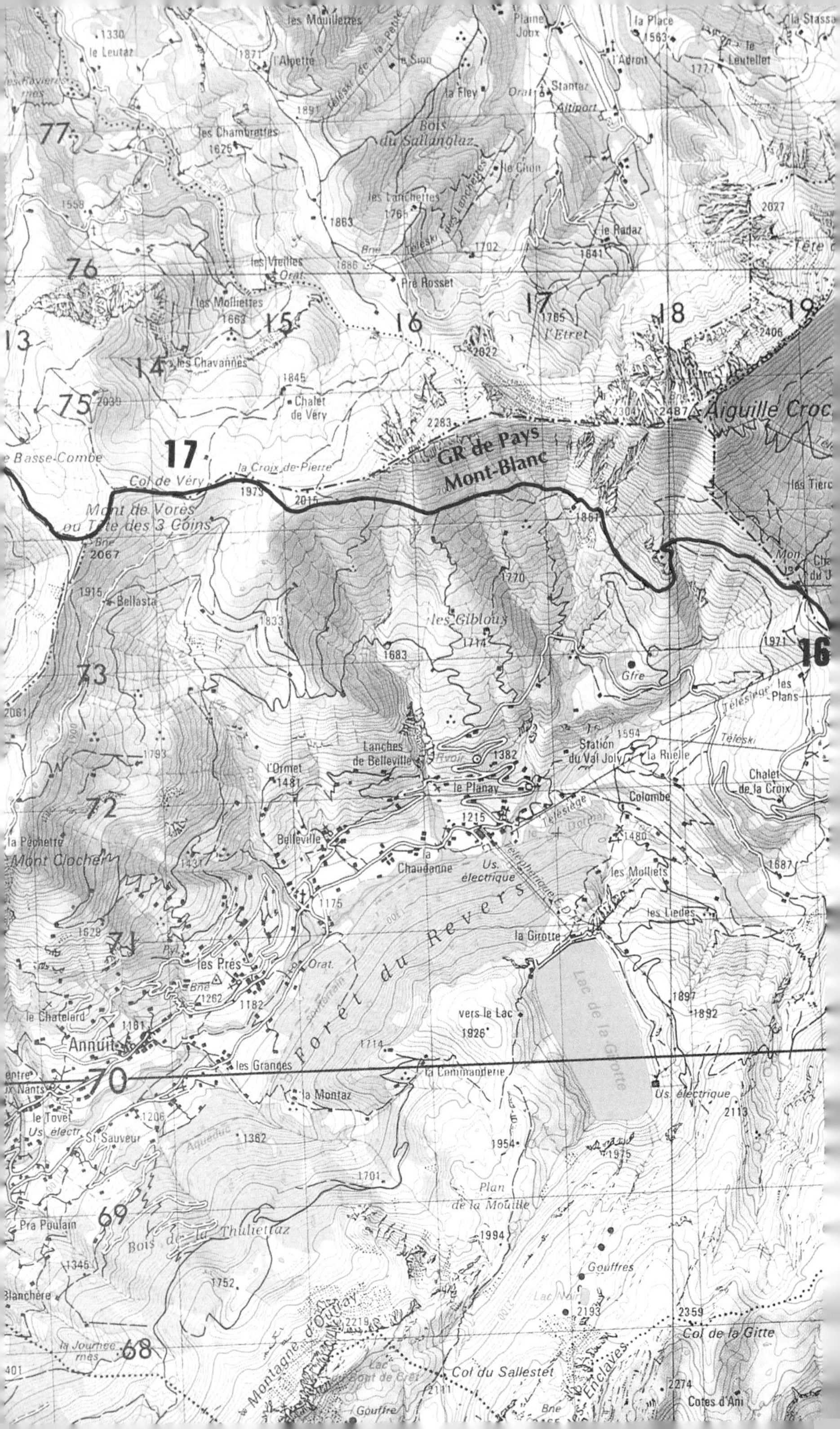

GR de Pays
Mont-Blanc
17
16
les Mouillettes
le Leutaz
1330
l'Alpette
1871
le Sion
Plaine Joux
la Place
1563
la Stassaz
le Leutellet
1777
l'Adroit
la Fley
Stantaz
Altiport
Bois du Sallanglaz
les Chambrettes
1626
le Chon
les Lanchettes
1765
1863
1558
le Radaz
1641
1702
Bne
Téleski
1886
les Vieilles
Orat.
Pré Rosset
les Molliettes
1663
les Chavannes
1785
l'Etret
2022
2027
2406
1845
Chalet de Véry
2039
2283
2304
2487
Aiguille Croc
Basse-Combe
Col de Véry
la Croix-de-Pierre
1973
2015
Mont de Vorès ou Tête des 3 Coins
2067
1861
1915
Bellasta
1833
1770
les Giblous
1714
1683
Gfre
1971
2061
Télésiège
les Plans
Téleski
1594
Station du Val Joly
la Ruelle
1793
Lanches de Belleville
Rvoir
1382
l'Ormet
1481
le Planay
Chalet de la Croix
Colombe
1215
Belleville
1480
la Pêchette
Mont Clocher
1437
la Chaudanne
Us. électrique
les Molliets
1687
1175
Forêt du Revers
les Liedes
la Girotte
1629
les Prés
Orat.
Lac de la Girotte
1262
1182
1897
1892
le Chatelard
1181
vers le Lac
1926
Annuit
1714
les Grandes
la Commanderie
Us. électrique
la Montaz
2113
le Tovet
1206
St Sauveur
1362
Aqueduc
1954
1975
1701
Plan de la Mouille
Pra Poulain
Bois de la Thuliettaz
1994
1346
Gouffres
1752
Blanchère
Lac Noir
2193
Montagne d'Outray
2219
2359
Col de la Gitte
la Journée
68
69
70
71
72
73
75
76
77
13
14
15
18
19
Col du Sallestet
Enclaves
2274
Cotes d'Ani
2111
Gouffre

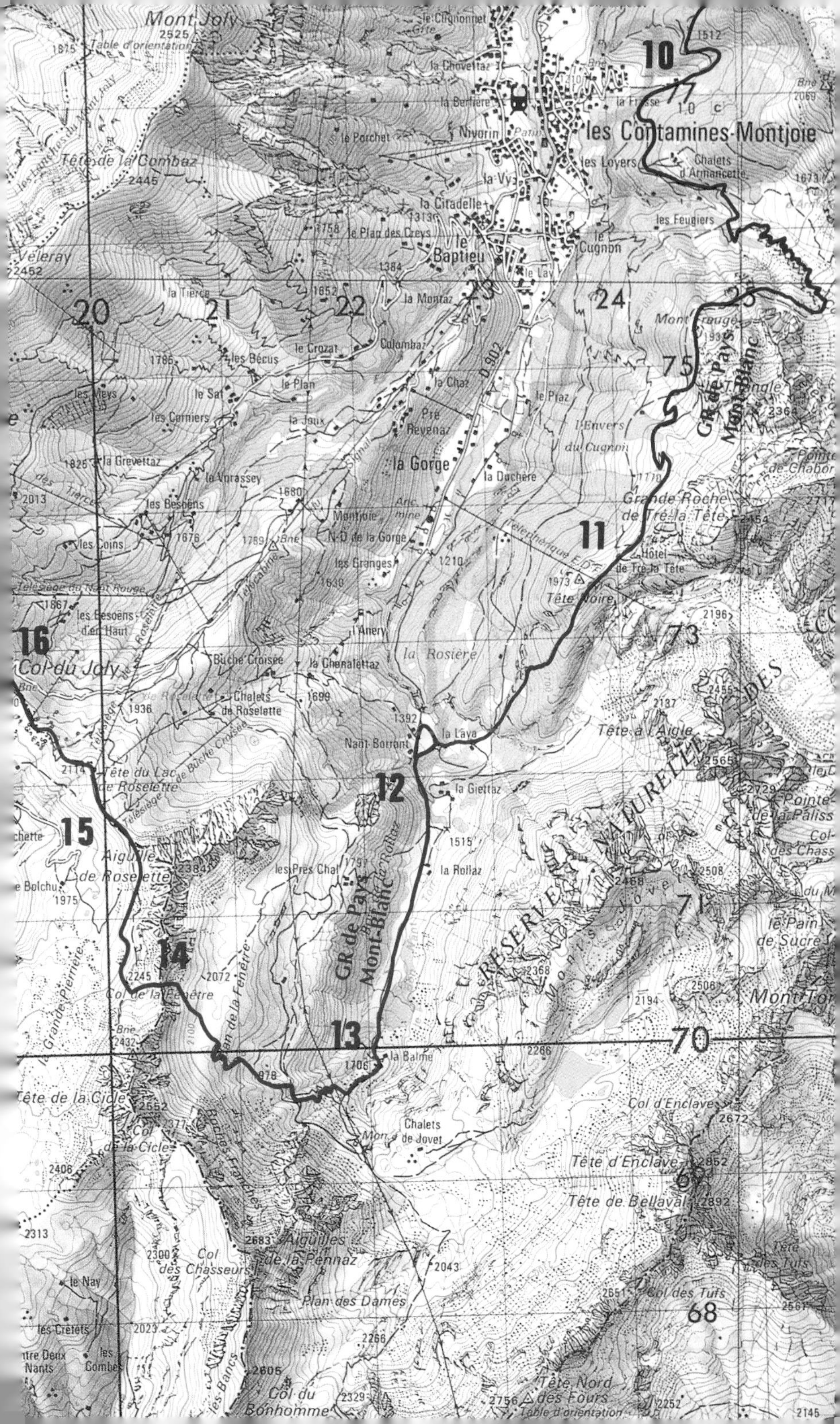

Mont Joly
les Contamines-Montjoie
Tête de la Combaz
Col du Joly
la Gorge
Montjoie
N-D de la Gorge
Nant Borrant
GR de Pays Mont-Blanc
RÉSERVE NATURELLE DES
Col de la Fenêtre
Aiguille de Roselette
Grande Roche de Tré-la-Tête
Tête à l'Aigle
Col d'Enclave
Tête d'Enclave
Tête de Bellaval
Col des Tufs
Aiguilles de la Pennaz
Plan des Dames
Col des Chasseurs
Col du Bonhomme
Tête Nord des Fours
Table d'orientation
Chalets de Jovet
Mont Tondu
le Pain de Sucre
Tête de la Cicle
Col de la Cicle

En montant au Col de Fenêtre. Les Roches Franches

Un cairn marquant la limite de la réserve naturelle des Contamines-Montjoie est érigé au centre de cette coupure de la ligne de crête, de cette "fenêtre" dans la muraille.

Descendre sur le versant du Beaufortin où la vue s'étend sur le barrage de la Girotte, la vallée d'Hauteluce et le Col des Saisies, site olympique 1992 de ski de fond, et de biathlon.

Barrage de la Girotte
Achevé en 1949, ce barrage multivoûtes perché à 1 725 mètres d'altitude retient l'eau de son bassin versant ainsi que celle qui est captée sous le glacier de Tré-la-Tête à 1 900 mètres. En aval du Lac Jovet, les eaux suivent une galerie souterraine de 10 km et, avant de rejoindre l'Arly près d'Albertville quelque 1 370 mètres au-dessous, elles peuvent être turbinées plusieurs fois.
Les eaux du lac de la Girotte sont exploitées depuis fort longtemps : dès 1909, les aciéries d'Ugine les utilisaient pour fabriquer leur courant électrique.
Ce complexe industriel a continué de se moderniser progressivement, procurant des emplois aux paysans du Beaufortin. Ce travail, venant en complément de leurs activités pastorales, leur a permis de rester au pays et de sauvegarder la méthode traditionnelle de fabrication du Beaufort.

Le sentier légèrement escarpé à son début demande de la prudence. Laisser à gauche un chemin secondaire. C'est par la droite, à flanc de montagne au-dessous de l'aiguille de Roselette que l'on rejoint la

1 h - Tête du Lac de Roselette - 2 100 m

Hors GR : De ce promontoire, on peut gagner, en descendant pendant 30 min au travers des pistes de ski des Contamines-Montjoie, le Lac de Roselette puis le refuge "La Roselette", agréable chalet de bois récemment restauré.

Refuge "La Roselette"

Poursuivre en empruntant la ligne de crête pour descendre jusqu'au

15 min - Col du Joly - 1 990 m

Dépasser l'aire d'arrivée de la route carrossable venant d'Hauteluce pour remonter en face, par un cheminement qui peut se pratiquer soit d'un côté, soit de l'autre de la ligne de crête, afin de bénéficier du meilleur panorama.
Au-dessus de la gare d'arrivée d'un télésiège, on découvre un bâtiment d'alpage isolé : le chalet du Joly. Le GR passe à gauche et en contrebas de cette maison.
On remarquera, se dressant sur une assise rocheuse, un monument funéraire (Altitude : 2 055 m) à la mémoire de victimes emportées par une avalanche.
Le GR quitte alors provisoirement le département de la Haute-Savoie. Par un sentier peu pentu on rejoint la cote 1992 m (ruines), puis on descend franchement pour contourner deux éperons rocheux masquant l'Ouest. Remonter ensuite vers un chalet coté 1851 m à travers prés et zones humides. *Ces alpages sont pâturés par de gros troupeaux de vaches qui produisent le lait nécessaire à la fabrication du fromage de Beaufort.*

Le fromage de Beaufort

Le Beaufort est l'excellent fromage de montagne, type "gruyère", fabriqué en Beaufortin, mais aussi en Tarentaise et en Maurienne.Ces régions sont réputées pour leurs vastes étendues pastorales où les troupeaux de vaches, race tarine ou abondance, paissent jusqu'à 2500 mètres d'altitude. Les méthodes ancestrales de fabrication du fromage sont nées dans ces alpages, prairies à la flore extraordinaire.
Aujourd'hui, quelques chalets de montagne très isolés continuent leur activité artisanale, mais l'ensemble des agriculteurs du Beaufortin se sont regroupés autour de leur coopérative qui a su perpétuer leur savoir-faire.
Seul, le lait de montagne, entier, riche et naturel, d'une grande pureté bactériologique est retenu. Il est transformé en "caillé", découpé en grains très fins, puis chauffé à différentes températures dans des cuves de cuivre (qui remplacent les anciens chaudrons) avant d'être moulé dans des cercles de bois de hêtre qui lui donneront sa forme définitive. Après avoir été salée, la nouvelle meule (40 kg) est déposée dans une cave fraîche (10°) où elle va continuer de recevoir pendant six mois les soins nécessaires à son affinage.

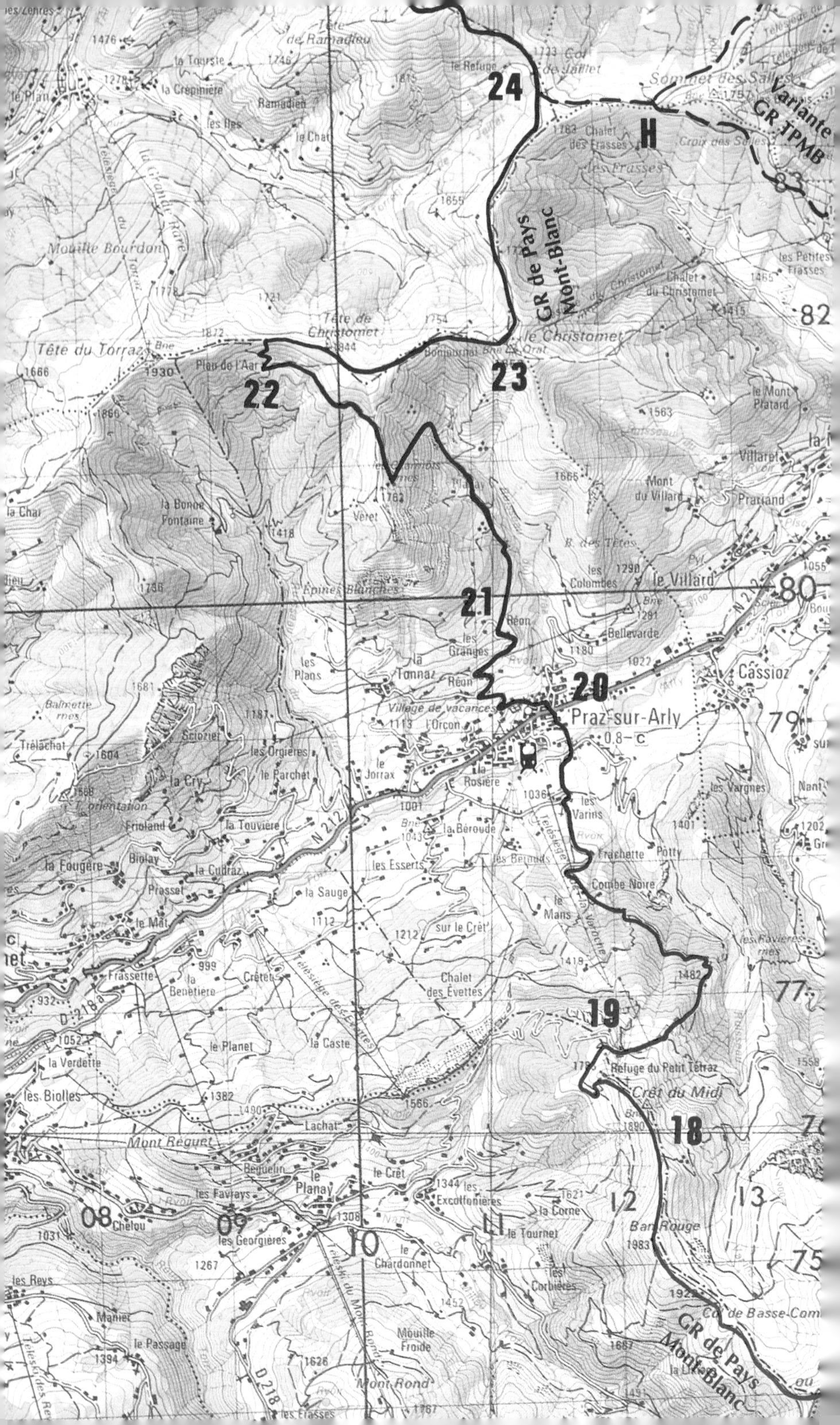

Tête de Ramadieu
la Touste
le Refuge
Col de Jaillet
Sommet des Salles
Variante GR TPMB
24
la Crépinière
Ramadieu
les Iles
le Chat
Chalet des Frasses
H
Croix des Salles
les Frasses
83
la Grande Rare
Mouille Bourdon
GR de Pays Mont-Blanc
les Petites Frasses
Chalet du Christomet
82
Tête de Christomet
Tête du Torraz
le Christomet
Plan de l'Aar
22
23
le Mont Platard
Villaret
Mont du Villard
Prariand
la Bonne Fontaine
Véret
B. des Têtes
les Colombes
le Villard
Épines Blanches
21
80
Réon
Bellevarde
les Granges
la Tonnaz
les Plans
20
Cassioz
Village de vacances
l'Orcon
Praz-sur-Arly
79
Trélachat
Sciozier
les Orgières
le Parchet
le Jorrax
la Rosière
la Cry
T. orientation
les Vargnes
Frioland
la Touvière
N 212
la Béroude
les Varins
Biolay
la Fougère
les Essarts
les Bérouds
Frachette
Potty
la Cudraz
Prasset
Combe Noire
la Sauge
le Mat
sur le Crêt
le Mans
les Favières
Frassette
la Benetière
Crêtet
Chalet des Évettes
77
D 218 a
19
le Planet
la Caste
Refuge du Petit Tétraz
la Verdette
Crêt du Midi
les Biolles
18
Mont Reguet
Lachat
le Planay
le Crêt
les Excoffonières
la Corne
les Favrays
12
13
08
09
Chelou
10
11
le Tournet
Ban Rouge
les Georgières
le Chardonnet
75
les Corbières
les Reys
Col de Basse Com
Maniet
le Passage
Mouille Froide
GR de Pays Mont-Blanc
D 218
Mont Rond

Le sentier remonte lentement sans trop de détours vers la Croix de Pierre (1 973 m) et le Col de Véry (1 962 m). Sur cette portion, la marche est facile, ce qui permet d'admirer à gauche le massif du Beaufortin, et derrière les massifs du Mont-Blanc et de Tré-la-Tête. On atteint un large col, le

 2 h - Col de Véry - 1962 m

Laisser à droite le versant conduisant à Megève par le Pas de Sion, et à gauche le versant d'Hauteluce où passe le Tour du Beaufortin. Gagner à flanc de coteau, puis par l'arête, le sommet du Mont de Vorès (2 097 m). Puis le sentier suit l'arête en épousant bosses et creux parmi les rhododendrons en direction du nord-ouest. Après avoir laissé le Col de Basse-Combe, le sommet de Ban Rouge (1 983 m) *(Arrivée de télésiège)*, on atteint un sommet caché parmi les résineux rabougris, le

Megève et la chaîne des Fiz - Vue du Crêt du Midi

18 1 h 30 - Crêt du Midi - 1 884 m

Remarquable belvédère, ce sommet mérite un arrêt. La vue s'étend très loin dans toutes les directions : excellent test pour reconnaître les noms des massifs ! Au-dessous du sommet nord, très raide, on aperçoit le toit du refuge du Petit Tétras, et en face, de l'autre côté du vallon de Praz-sur-Arly, au milieu de l'alpage, le refuge du Plan de l'Are, situé à 1 732 m ... point de passage futur.

Du sommet du Crêt du Midi, reprendre le sentier et descendre côté ouest par une pente raide *(prudence)*, obliquer ensuite vers la droite et revenir vers le

 15 min - Refuge du Petit Tétras - 1 700 m

Du refuge, descendre vers l'Est par un chemin jusqu'au chalet des Tendues (1660m) que l'on atteint en quelques minutes, puis par un sentier jusqu'à la limite de la forêt. Revenir sur la droite dans une ravine et sur la gauche en obliquant. Le sentier traverse la clairière où se niche le chalet des Lanciers (1 482 m). Longer cette clairière par la gauche et descendre jusqu'au fond du pré. Le sentier entre à nouveau dans la forêt vers l'ouest. Il franchit plusieurs ruisseaux avant de rejoindre un autre chemin plus important. Descendre jusqu'à la Combe Noire. Prendre ensuite la route goudronnée jusqu'à

20 1 h 45 - Praz sur Arly - 1 025 m

Praz-sur-Arly
Ce village était, jusqu'en 1870 un hameau dépendant de Megève et s'appelait "Le Pratz de Megève". Lors de la séparation des deux communes, il s'est appelé "Le Pratz", ce qui signifie "le pré" et un arrêté du 16 Décembre 1907 lui a donné finalement l'appellation officielle que l'on connaît aujourd'hui.

Traverser la RN 212 au niveau de l'Office du Tourisme. Prendre la route communale menant à la Tonnaz et Réon. Elle longe le cimetière et monte en lacets. A la bifurcation (15 min), prendre à droite en direction de Réon. Continuer jusqu'au replat servant de parking et stockage de bois: Réon-d'en-Haut (**Repère 21**).
Quitter la route goudronnée et prendre horizontalement un chemin enserré au milieu des champs, direction nord. *(Attention, ne pas continuer par la route goudronnée vers les Granges)*. Le chemin entre dans les bois, traverse à gué un ruisseau, monte vers Le Planay, chalet isolé dans un champ *(Balisage communal S4)*(1 430 m). Continuer de monter dans le champ, traverser un ruisseau et poursuivre en forêt par un sentier, taillé par endroits dans de petites falaises. Il s'élève en serpentant dans un cadre sauvage. On quitte peu à peu la forêt et on passe près des ruines des Charmots (1 660 m) avant d'arriver à la jonction de plusieurs chemins (1 747 m). Prendre à gauche la piste qui descend doucement, vers l'alpage du

22 2 h 30 - Plan de l'Are - 1 732 m

Refuge (parfois orthographié l'Aar), le Plan de l'Are comprend deux constructions: un chalet d'alpage d'architecture typiquement montagnarde, et un refuge, aménagé en 1988 par la commune de Praz sur Arly. La configuration de l'alpage est très belle, en amphithéâtre sous les crêtes du Torraz.

Quitter le chalet par un sentier qui passe près d'une cave creusée dans une butte et monter pour atteindre la crête du Torraz à 1 820 m, entre la Tête du Petit Torraz

et la Tête du Christomet. Rester sur l'arête, prendre la direction du chalet de Bonjournal (vers l'est) que l'on atteint sans monter à la Tête des Charmots. Continuer sur 200 m et obliquer à droite pour monter, par un chemin raide, jusqu'à l'arrivée du télésiège du Christomet.
On peut gagner en quelques minutes

(23) 40 min - L'Oratoire du Christomet - 1 853 m

Prendre la direction nord en suivant approximativement les crêtes. Un agréable chemin, sans grand dénivelé, permet d' arriver au

(24) 1 h 20 - Col de Jaillet - 1 723 m

Attention, ce col est large, et beaucoup d'itinéraires y convergent.
- Variante pour Combloux/Domancy/Lacs de Passy et remontée sur les chalets de Varan.
Description page 78 et carte pages 52-53
- Un peu plus bas versant Combloux, variante du Col de la Forclaz par St Nicolas de Véroce et Megève.Voir pages 82-86

Près du Col de Jaillet, une borne de granit de 1,50 mètres de hauteur a été découverte en 1964. Elle porte l'inscription "FINES" qui signifie "limite" en latin, attestant sans doute son origine romaine. D'autres bornes ont été découvertes en 1992 près du Col de l'Avenaz.

Aster et couple de zygènes

Pour continuer sur l'itinéraire principal, gagner l'ouest du col et les contreforts de Croisse Baulet. Monter par un sentier assez pentu par le Petit Croisse Baulet (2 009 m). Par une portion à plat, gagner le col de l'Avenaz (1 929 m). Monter ensuite jusqu'à

(25) L'altitude 2 100 m

Ne pas monter au sommet de Croisse Baulet. Traverser par un sentier à droite à flanc de versant *(attention, névés parfois tardifs)*, atteindre la

(26) 2 h - Cabane du Petit Pâtre - 1 915 m

Cette cabane est un simple abri de 6 m2 qui ne peut pas être utilisé comme refuge. Possibilité de rejoindre Cordon par des sentiers balisés par la commune par des marques "F" puis "M" (1 h).

Cordon
Bruits de bottes sur la place de l'église, cliquetis de sabres et de baïonnettes ... A Cordon, chaque 15 Août, on fait la fête avec les Grenadiers de la garde Napoléonienne.
C'est une fête très originale, née, comme son nom l'indique, de la période napoléonienne. L'un des multiples recrutements de l'armée de Napoléon a eu lieu à Cordon, et de nombreux jeunes Cordonnants se sont retrouvés enrôlés comme grenadiers. Ainsi, quand l'Empereur décide d'instaurer une fête "nationale"' le 15 Août, jour anniversaire de sa naissance, le village de Cordon voit-il se rassembler sur la place un nombre important de jeunes gens en tenue pour le défilé officiel. Depuis, l'habitude est restée, et chaque été à Cordon on ressort les costumes de la prestigieuse armée en l'honneur des ancêtres. Certaines tenues sont d'époque, d'autres ont été remplacées au fur et à mesure de l'usure du temps. Mais la mémoire demeure: quatre grenadiers voltigeurs (fantassins chargés de mener le combat), un pontonnier (militaire du génie employé à la construction des ponts), un zouave (mot d'origine arabe qui désigne un soldat d'un corps d'infanterie), un infirmier colonial, un chasseur d'Afrique, un "*bersagliere*" (chasseur de l'infanterie légère dans l'armée italienne), un canonnier, deux tambours et deux cantinières témoignent chaque été d'un autre temps et d'un autre esprit.

Cordon

De la cabane du Petit Pâtre, le GR descend à l'ouest puis au nord-ouest. Il passe près du chalet de Niard et arrive directement au

27 20 min - Col de Niard - 1 801 m

Attention en cas de brouillard car le col est situé au milieu de l'alpage.
Prendre la direction nord, traverser des zones humides pour retrouver ensuite un sentier caillouteux. Traverser le torrent de la Miaz avant de descendre vers les

28 30 min - Chalets de Cœur - 1 707 m

Hors GR: Combe et Cascade des Fours.
Deux cents mètres avant les chalets de Cœur, on peut gagner la Combe des Fours. Cette variante rejoint en 2 h 30 l'itinéraire principal peu avant Praéros. Pour cela, remonter la rive droite du torrent de la Miaz, contourner l'arête de la Besse par le Col de Portette (2 128 m), puis traverser le Plan des Fours (2 027 m). Ressortir de la combe et descendre par un sentier. Sur la droite, la cascade des Fours. Au pied de la cascade, les chamois et les bouquetins de la réserve viennent s'abreuver. Ils

y sont attirés par les pierres à sel qu'on appelle "léchieux".Après une descente soutenue en zigzag dans une prairie, rejoindre l'itinéraire principal (1 390 m).

Entre les chalets de Cœur et Mayères

Des chalets de Cœur, descendre par le chemin carrossable jusqu'au lieu-dit

29 La Pierre Fendue - 1 396 m

(ou Lanche du Praz). C'est un gros rocher "fendu" posé en bordure du chemin. Quitter ce chemin par la gauche par un sentier à plat *(marques "G" du balisage communal),* traverser le ruisseau. Continuer sur 350 m et franchir le torrent des Fours. *En début de saison, les eaux peuvent y être tumultueuses (passerelle).* Remonter lentement dans les alpages jusqu'à Mayères par Marcolez (1 411 m) et les Aiguilles (1 524 m). Attention aux nombreux chemins qui conduisent aux chalets d'alpage. *Le temps de parcours depuis les chalets de Cœur peut être considérablement écourté selon le nombre de clôtures à franchir* . Rejoindre le chemin carrossable qui monte de Sallanches par Burzier à la

30 2 h 40 - Croix de Mayères - 1 530 m

Atteindre le refuge de Mayères.

Hors GR : Variante par Doran.

Monter dans les éboulis (marques "C" du balisage communal). S'approcher d'une barre rocheuse, l'arête des Saix (1 851 m) que l'on franchit. On découvre alors les magnifiques alpages de la Combe de Doran dominés par la Pointe Percée et les Tours d'Areu. Descendre sur le flanc nord-ouest jusqu'au torrent et atteindre le refuge de Doran (Repère M) (1 495 m). Chapelle à visiter.

Du refuge, descendre au hameau de Burzier par le chemin carrossable. Au parking, prendre un sentier qui descend dans un remblai pour rejoindre un lacet de route goudronnée et le hameau des Houches (926 m)(Repère 31).Chapelle.

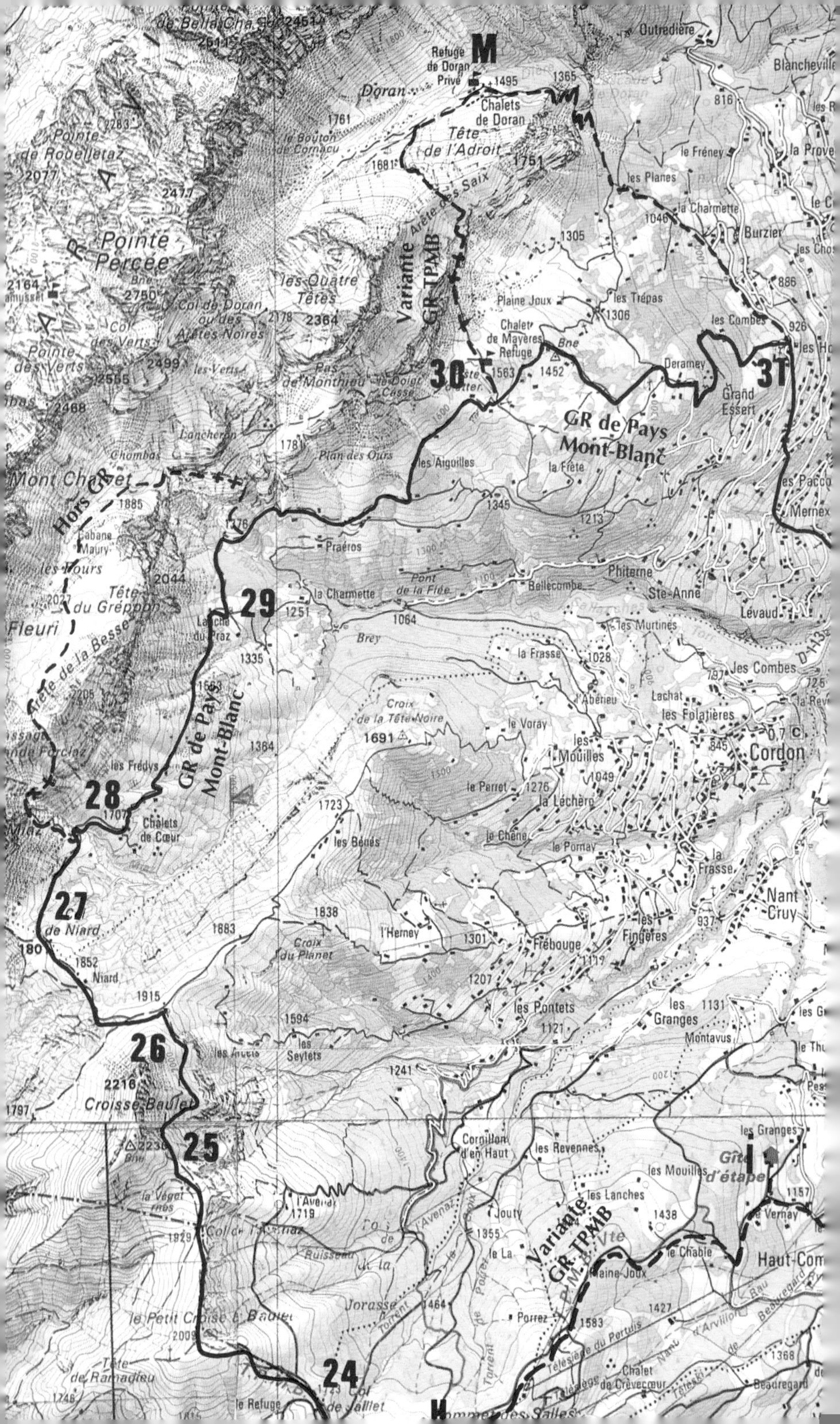
M
Refuge de Doran Privé
1495
Doran
Outredière
Blancheville
Chalets de Doran
Tête de l'Adroit
1761
1681
1751
le Bouton de Cornacu
Arête des Saix
les Planes
le Fréney
la Charmette
1046
Burzier
1305
Variante GR TPMB
Pointe de Rouelletaz
2077
2477
Pointe Percée
2750
2164
Col de Doran ou des Arêtes Noires
les Quatre Têtes
2364
Col des Verts
Pointe des Verts
2555
2499
2468
Pas de Monthieu
Plaine Joux
les Trépas
1306
les Combes
Chalet de Mayères Refuge
1563
1452
30
Deramey
Grand Essert
31
GR de Pays Mont-Blanc
Lancheron
Chombas
1781
Plan des Ours
les Aiguilles
la Frête
1345
1213
Mont Charvet
Hors GR
1885
Cabane Maury
Praéros
1776
2044
Tête du Greppon
Pont de la Flée
Bellecombe
Phiterne
Ste-Anne
la Charmette
1251
29
Lévaud
Fleuri
Arête de la Besse
1064
Brey
les Murtines
la Frasse
1028
les Combes
1335
2205
Croix de la Tête Noire
1691
le Voray
l'Aberieu
Lachat
les Folatières
845
Cordon
GR de Pays Mont-Blanc
1364
les Fredys
les Mouilles
1049
le Perret
1276
la Léchère
28
1707
Chalets de Cœur
1723
les Benés
le Chêne
le Pornay
la Frasse
27
de Niard
1852
Niard
1838
1883
Croix du Planet
l'Herney
1301
Frébouge
les Fingères
937
Nant Cruy
1915
1594
1207
les Pontets
1121
les Granges
1131
Montavus
26
les Seytets
1241
2216
Croisse Baulet
1797
25
2236
Cornillon d'en Haut
les Revennes
les Granges
Gîte d'étape
les Mouilles
les Lanches
1438
1157
le Vernay
la Véget
l'Avenaz
1719
1929
Jouty
1355
le La
Variante GR TPMB
le Chable
Haut-Com
Plaine-Joux
Jorasse
1464
Porrez
1583
1427
le Petit Croise Baulet
2009
Tête de Ramadieu
Télésiège du Pertuis
1368
24
Chalet de Crèvecœur
Beauregard
Col de Jaillet
le Refuge
H

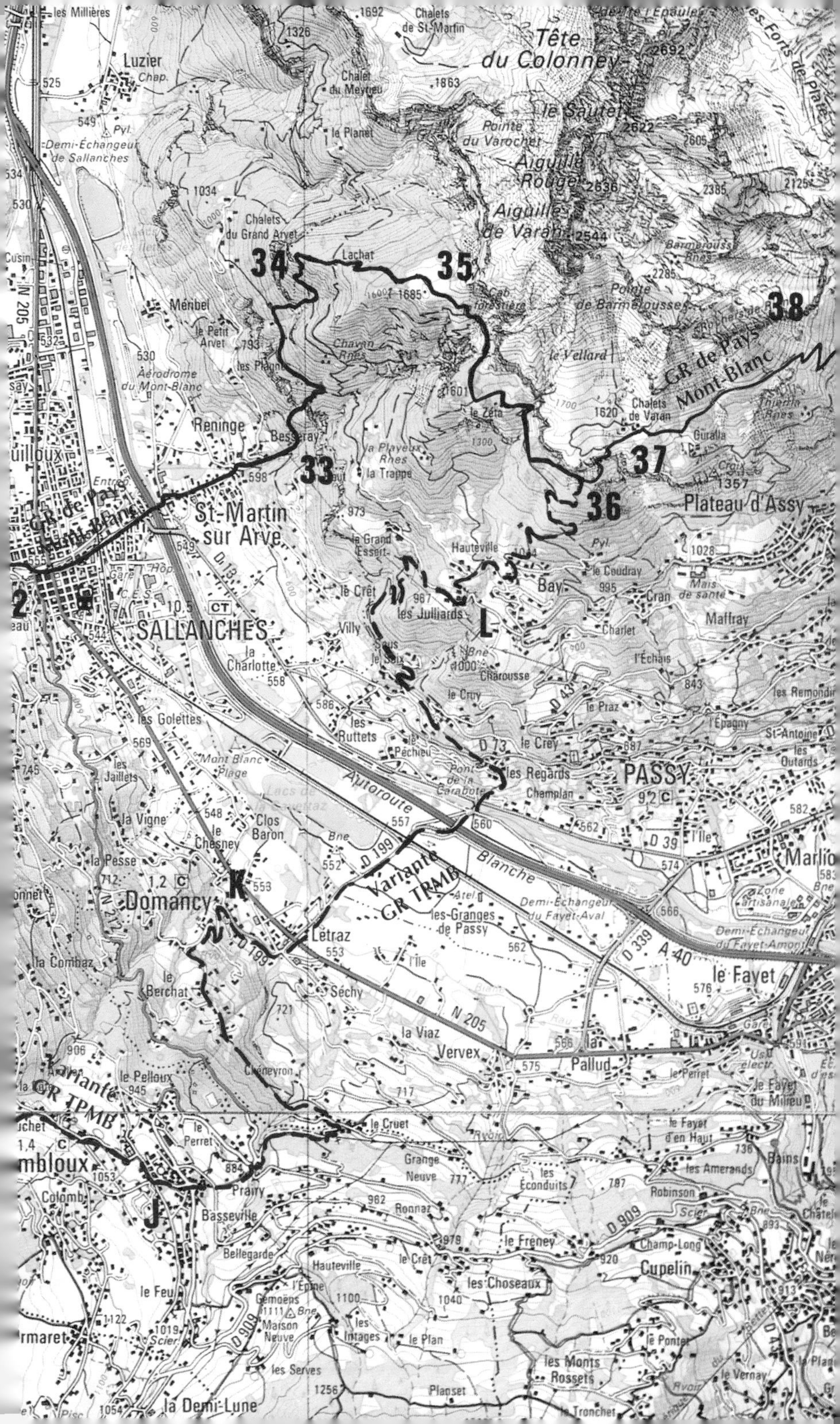

les Millières
Luzier
Chalets de St-Martin
Tête du Colonney
2692
Chalet du Meyrieu
1863
le Sautet
2622
Pointe du Varochet
le Planet
2605
Demi-Échangeur de Sallanches
Aiguille Rouge
2636
2385
2125
1034
Aiguille de Varan
2544
Chalets du Grand Arvet
34
Lachat
35
1685
Pointe de Barmelousse
38
Méribel
le Petit Arvet
793
Chavan
le Vellard
GR de Pays Mont-Blanc
Aérodrome du Mont-Blanc
les Plagnes
1601
le Zéta
1620
Chalets de Varan
Reninge
Besseray
33
la Trappe
37
598
1357
St-Martin sur Arve
36
Plateau d'Assy
le Grand Essert
Hauteville
1028
le Crêt
967
Bay
le Coudray
995
Cran
Maison de santé
les Julliards
L
Maffray
SALLANCHES
Villy
Charlet
la Charlotte
558
Charousse
l'Échais
843
les Golettes
le Cruy
le Praz
les Buttets
le Crey
687
Mont Blanc Plage
D 13
les Regards
PASSY
les Jaillets
Champlan
la Vigne
548
Clos Baron
557
560
562
le Chesney
Autoroute Blanche
D 39
574
la Pesse
552
D 199
Variante GR TPMB
Domancy
K
553
les Granges de Passy
Demi-Échangeur du Fayet-Aval
566
Létraz
553
562
A 40
le Fayet
la Combaz
le Berchat
Séchy
721
576
N 205
la Viaz
Vervex
575
Pallud
906
le Pelloux
945
Chéneyron
717
le Perret
le Cruet
le Fayet d'en Haut
Combloux
884
Grange Neuve
777
les Éconduits
787
1053
Prairy
les Amerands
Colomb
962
Ronnaz
Robinson
J
Basseville
le Freney
Bellegarde
Hauteville
le Crêt
Champ-Long
920
l'Épine
Cupelin
le Feu
Gemoëns
1100
1040
les Choseaux
1111
Maison Neuve
1122
les Intages
le Plan
1019
le Ponte
les Serves
les Monts Rossets
1256
Planset
1054
la Demi-Lune
le Tronchet

Du refuge de Mayères, descendre le chemin principal en direction de Burzier sur 400 m. A 150 mètres, on peut rejoindre à droite le refuge :
La Ferme du Tornieux.

La Ferme du Tornieux

Quitter le chemin pour une piste à droite (balisage communal U). Descendre à travers une forêt mixte vers le hameau de Deramey aux maisons très anciennes. A la sortie du hameau, quitter le balisage U et continuer à gauche par un sentier qui descend dans les bois par les Combes (1 060 m) jusqu'au

31 Hameau des Houches - 926 m

Une belle forêt de feuillus

On retrouve ici la variante venant de Doran.
Passer devant la chapelle et la Croix (Mission 1920), et prendre à la sortie du hameau, à gauche, un sentier oblique vers le hameau de La Pierre (843 m) *(chapelle-école).* Continuer la descente vers Sallanches par un raccourci qui coupe les lacets de la route goudronnée. A Mermex, rejoindre l'itinéraire communal (balisage U) et le suivre jusqu'à la Chapelle de Levaux. On arrive par un sentier escarpé au

(32) 1 h 50 - Chateau des Rubins - 561 m

Une visite à ne pas manquer : Le Château des Rubins
Dans l'enceinte de ce superbe château appartenant à la ville de Sallanches , se trouve un centre d'initiation à la nature montagnarde, conçu comme une promenade.
A travers un paysage forestier automnal, c'est toute la diversité de la forêt qui est présentée, en fonction du sol, du climat ou de l'intervention de l'homme. Les différents conifères, qui gardent dans leurs troncs la mémoire de leur vie, le rôle de la chlorophylle des feuillus qui transforme le gaz carbonique, la décomposition des matières végétales en humus capable de générer d'autres plantes ...Plus loin, un animal discret au regard perçant, le lynx, quasiment disparu de nos contrées, et qui a été réintroduit récemment. Et puis, face à la faune "sympathique" de la forêt, le terrible ennemi de l'épicéa : le bostryche destructeur.
L'alpage est un autre élément très important de l'environnement en montagne. En hiver, les traces sur la neige nous permettent de constater que, là-haut, la vie continue. Le sol est isolé du froid extérieur par le manteau neigeux, et les espèces animales se sont, de mille façons, adaptées pour leur survie. En été, l'alpage qui a longtemps été "colonisé" par l'homme (pâturages, chalets de montagne...) est rendu peu à peu à la nature: les landes repoussent et la forêt regagne du terrain. Plus haut, dans la montagne, les éboulis, les crêtes ventées, les falaises abruptes possèdent également leur écosystème, comme les ruisseaux, les lacs, les tourbières ...

Avant d'aborder la suite de la randonnée, vérifier matériel et provisions (Le marché du samedi matin sur les quais de la Sallanche est très animé)

Sallanches :      

Descendre les quais, traverser la RN 205, laisser la place Charles-Albert sur la droite, prendre l'avenue St Martin, traverser la voie ferrée. Au carrefour des routes de la zone industrielle et de Passy (rond-point), continuer tout droit jusqu'au passage pour piétons qui passe sous l'Autoroute Blanche et franchit l'Arve par le Vieux Pont. *C'est ici l'altitude la plus basse du Tour du Pays du Mont-Blanc:540 m.* Passer devant le cadran solaire de l'église St Martin, monter par la route de St Martin et rejoindre la route de Reninge près du cimetière (ligne de plus grande pente) jusqu'au petit pont sur le torrent de Reninge.

Pont St Martin

"On pourrait dire du Pont St Martin, bien que situé dans une contrée si sauvage, qu'il est l'un des plus fréquentés de l'Europe. C'est le rendez-vous des voyageurs, qui, avant de contempler le Mont-Blanc à sa base, y viennent étudier de loin sa forme générale et les détails de cette montagne colossale."
(In *"Voyage autour du Mont-Blanc* " Raoul Rochette - 1826)

Le Pont St Martin au XIX e siècle - Photo Conservatoire d'Art et d'Histoire Annecy

Sallanches

Depuis les temps les plus reculés, Sallanches a constitué un lieu de passage sur les itinéraires difficiles de l'Arly, du Beaufortin, de la Haute Tarentaise et du Piémont par le Val Montjoie et le Col du Bonhomme. Cette position de carrefour est depuis longtemps propice à un peuplement dense, et, au IX e siècle, Sallanches est le plus gros bourg du Faucigny. La ville est dotée, dès le XIV e siècle, d'un code municipal qui marque son extension et sa prospérité. Après une complète destruction au XVIe siècle, les Ducs de Savoie la reconstruisent pour en faire une cité très aristocratique. Malgré l'invasion de François 1er en 1536 et une crue désastreuse de la Sallanche en 1638, elle reste la capitale du Faucigny.
Sa forme actuelle est récente : en 1840 un terrible incendie détruit tout. Il faut à nouveau reconstruire, et l'ingénieur Justin, chargé des plans, s'inspire du "plan sarde" de la ville de Turin : une grande place bien dégagée, et des rues alignées et perpendiculaires ...
Aujourd'hui , le développement du tourisme et son corollaire les voies de communication font de Sallanches la "porte du Mont-Blanc", avec commerces, activités industrielles et artisanales, ainsi qu'un environnement préservé par une agriculture bien vivante.

33 30 min - Petit Pont sur le torrent de Reninge - 598 m

Prendre à droite la route de Crève-Cœur sur 200 m. Au premier virage, monter le long du torrent par un sentier. Après le deuxième seuil de stabilisation du torrent, monter à gauche par un sentier qui serpente en forêt. A l'altitude 800 m, laisser à droite le sentier de la cascade ainsi que le sentier à plat à gauche. Continuer à monter. En approchant du pied des rochers, on devine l'itinéraire qui pénètre entre les falaises au fond du talweg. La montée est très raide mais pas très longue. Les pins sylvestres, peu à peu, font place aux sapins et aux épicéas.
A l'altitude 1 070 m, prendre à gauche (vers le nord-ouest) le sentier qui conduit au deuxième chalet. Ce sentier traverse une sapinière et deux ravines avant d'arriver au

1 h 30 - Chalet des Nants - 1 087 m

Quitter le chemin avant d'arriver au chalet des Nants et monter par un sentier forestier. Le parcours est très sauvage. Après un belvédère, (50 mètres à gauche), la dernière côte permet d'atteindre le Plateau de Lachat d'En-Bas (1 482 m). Ne pas se diriger vers Le Planet. Atteindre vers la droite l'unique chalet près duquel passe le sentier. Monter pendant 30 min dans une forêt d'épicéas pour atteindre le bas des alpages de

1 h 45 - Lachat d'En-Haut - 1 680 m

La vue est exceptionnelle. Au-dessus, les falaises calcaires culminent à l'Aiguille de Varan à 2 544 m et au Colonney à 2 692 m.
La montée se termine aux deux chalets. Traverser l'alpage vers le sud-est et descendre la piste.
Point d'eau près de la cabane forestière. Franchir le torrent à gué entre les ouvrages remarquables de lutte contre l'érosion, rejoindre facilement La Zéta (1 511 m). Peu après le gué, quitter la piste et monter par un sentier en balcon jusqu'au

La plaine de Passy depuis le chalet de Varan

Les Châteaux de Cran
Col de la Portette
2354
Pointe du Derochoir
Passage du Derochoir
2246
2644
GR de Pays Mont-Blanc
Refuge de Platé
Pointe de Platé
ou la Vouardaz
2411
2554
2289
le Marteau
Chalets de Platé
2032
le Motet
les Miots
le Derochoir
Ayères des Pierrières
1637
Chalets du Souay
40
Ayères des Rocs
Ayères du Milieu
Barmus
les Mollays
38
1407
Charbonnière
Guébriant
Centre de vac.
1351
Plaine Joux
le Châtelet
le Gouet
1337
1418
Praz Coutant
39
N
D 43
1119
la Côte
Feugerand
981
1051
Grands Bois de Joux
le Mont
Bne
1049
Sancellemoz
848
les Barbolets
les Moulins d'en Haut
996
1008
806
D 13
le Lavouet
Joux
Vieux Servoz
les Combes
1206
la Combe
la Motte
les Soudans
812
les Moulins d'en Bas
le Perrey
les Gures
N 205
940
O
Servoz
738
la Frasse
le Châtelard
le Bouchet
944
Prafleuri
602
807
les Remondins
Dingy
les Maisonnettes
Montvauthier
St-Antoine
D 43
Gare
Chedde
1037
Forêt du Châtelard
P
le Lac
les Outards
Venez
les Brions
Montcourant
1326
589
Tour St-Michel
582
Chaussée descendante
Viaduc des Egratz
D 13
Marlioz
600
1303
Mont Borrel
la Fontaine
583
Voie express montante
St-Denis
1516
864
Varjante GR TPMB
les Ravanets
les Montées Pélissier
Bois de la Côte
Centre autorbutier
Manchoir
679
l'Abbaye
les Plagnes
1010
Tête Noire
1746
2
Bouchards
Vaudagne
1533
la Villiaz
Col de la Forclaz
1119
Montfort
1181
le Pontet
le Brey
Chem. de fer
1376
Charousse
1043
Mont Paccard
la Côte
Colon. de vac.
795
le Prarion
les Chavants
St-Gervais-les-Bains
85
Granges des Chavants
le Châtelet
1969
3
les Crêts
les Corbassières
1653
Chalet des Anglais
1371
le Nevret
le Plancert
les Baux Chalets
GR de Pays Mont-Blanc
1266
Varjante GR TPMB
4
la Maison Neuve
le Pralet
le Vernay
Télésiège de la Maison Neuve
Beaulieu
846
Table d'orientation
Hôtel du Prarion
les Basses
84
1853
la Friaz
la Toile
la Planchette
le Terrain
les Granges
855
les Praz
1370
Champlet
1887
Roche Noire

36 Perthuis d'En-Bas - 1 360 m

On retrouve ici la variante venant du Col de Jaillet par Combloux, Domancy et les Lacs de Passy (Description page 78)
Voir les peintures sur rocher réalisées en 1972 par des artistes lors du concours "Sculptures en montagne".
Monter par la piste, couper par un raccourci (1534 m) à droite pour arriver sous les

37 1 h 25 - Chalets de Varan - 1 620 m

Refuge avec vue panoramique en balcon sur la vallée de l'Arve, du massif du Mont-Blanc aux Aravis . Possibilité de rejoindre le **Plateau d'Assy** *en 1 h par Curalla.(Voir Passy page 60)*

Une agréable descente sur Charbonnière
Photo: Eric THIOLIERE

Descendre sous le refuge en direction de Curalla pendant 5 min. Quitter le sentier pour remonter à Frioland *(Attention, beaucoup de "faux sentiers" ont été tracés par les troupeaux de moutons).* A Frioland (1 690 m) descendre progressivement vers la combe de

38 1 h 15 - Charbonnière - 1 407 m

Chalets de Charbonnière et monte-charge desservant les alpages de Platé.
Traverser la combe en direction de l'est. Laisser le sentier qui monte au Désert de Platé (Refuge CAF à 1 h15), franchir l'Ugine par une passerelle, descendre pendant 2 Km, prendre à gauche un raccourci à l'horizontale et rejoindre, par la forêt, la route (CD 43), le centre de vacances de Guébriant et la station de ski de

39 1 h - Plaine-Joux - 1 360 m

Voir l'aire de décollage des parapentes. Visiter le chalet d'accueil de la Réserve Naturelle de Passy .

Passy

Comme pour l'ensemble du Pays du Mont-Blanc, le peuplement de Passy est fort ancien. De la période gallo-romaine date la cité de Dionysa, implantée dans l'actuelle plaine de Chedde et engloutie sous les eaux du lac de Servoz lors de sa rupture. De la même époque, on a retrouvé deux *ex voto* gravés sur pierre au lieu-dit Les Outards. Ils sont maintenant scellés sous le porche de l'église du chef-lieu. Jusqu'au début du siècle, la vie passeranne est essentiellement rurale. L'exploitation de la houille blanche dans les Alpes entraine la création, en 1895, d'une usine électro-chimique à Chedde. Un peu plus tard, c'est le climat, particulièrement sec et ensoleillé, l'absence de vent et l'altitude modeste du Plateau d'Assy qui attirent l'attention. L'époque est aux recherches anti-tuberculeuses, et le premier sanatorium ouvre ses portes en 1926.

Aujourd'hui, Passy offre au visiteur la surprise de ses réalisations d'art moderne. A l'église Notre-Dame de Toute Grâce du Plateau d'Assy, on trouve, réunis pour la décoration, les plus grands maîtres de l'après-guerre : Léger, Lurçat, Rouault, Bazaine, Chagall, Matisse, Bonnard, Braque, Germaine Richier, Brianchon, Couturier, Kijno, Lipchitz ... Et jalonnant la commune, des sculptures : La Porte du Soleil de Féraud, la Porte de l'Espace de Calder, l'Echelle Humaine de Semser, La Porte d'Eau de Cardenas et la Porte Bleue de Gardy-Artigas ...

*Ici débute la variante pour le col de la Forclaz par le Lac Vert (Repère N) et le Vieux Servoz (repère O).*Devant le chalet de la réserve, prendre la route goudronnée du Chatelet sur 80 m. Puis, par un chemin dans les pistes de ski, monter à Barmus (40 min)(1 600m). Se diriger ensuite vers l'est.

Au-dessus du village des Mollays (1 592 m), on rejoint la deuxième branche de la variante venant du Col de la Forclaz par Le Vieux Servoz et le Lac Vert. *(Description page 80).* Gagner

(40) 1 h 15 - Les Ayères (Rocs et Pierrières) - 1 641 m

Le Dérochoir

La configuration actuelle du Dérochoir date du spectaculaire éboulement d'Août 1781. Horace Bénédict de Saussure en a fait une description détaillée : " (...) La montagne s'écroula avec un fracas épouvantable et une poussière si obscure que les paysans épouvantés se retirèrent à deux miles de distance et crurent apercevoir des flammes dans les tourbillons qui s'élevaient de toutes parts (...) Toutes les campagnes voisines (étaient) recouvertes d'une poussière fine comme de la cendre que les vents avaient dispersée jusqu'à cinq lieues de distance (...)"

On entre dans la Réserve Naturelle de Passy après avoir cheminé sous le Dérochoir.

Après le bassin, prendre le chemin carrossable qui serpente dans les alpages. Il passe près de la Pierre à l'Ours *(à regarder de profil au-dessus de l'abri)*, puis traverse quelques ravines d'éboulis. Laisser le sentier qui monte au Col d'Anterne et rejoindre le chalet-refuge.

La Pierre à l'Ours sur fond de Mont-Blanc

Cet itinéraire étant très fréquenté en été, le randonneur avide de "coins tranquilles" peut lui préférer le cheminement suivant :

Du bassin, descendre par le large chemin jusqu'aux chalets du Souay. Prendre le sentier qui conduit vers la passerelle qui enjambe le torrent du Souay et qui remonte en rive gauche par Les Argentières. A la cote 1 950 m, laisser à droite le sentier qui conduit en 10 min au Lac de Pormenaz. Prendre à gauche et atteindre en traversée le refuge de Moëde-Anterne.

41 1 h 30 - Refuge de Moëde-Anterne - 2 002 m

Hors GR : Variante par le Col du Brévent

En suivant le parcours du GR5, depuis le refuge de Moëde-Anterne.

Pour cela, descendre dans le vallon sud-est jusqu'au Pont d'Arlevé (1 587 m) (40 min) et remonter par les ruines des chalets d'Arlevé pour arriver au Col du Brévent (2 h 30) (Repère 51).

Partir à plat direction plein est et passer au Collet d'Ecuelle (2 027 m). Le sentier entre dans le vallon de la Diosaz et descend agréablement jusqu'aux ruines de l'Ecuelle (1 904 m) et aux

1 h - Chalets de Villy - 1 885 m

Ces alpages ont été pâturés jusqu'en 1965 par des troupeaux de vaches laitières. On y produisait une sorte de gruyère au goût de violette, dit-on. La pièce où l'on fabriquait le fromage s'appelle "la chavanne". On y voit encore les restes du matériel utilisé par les fromagers. La chavanne peut servir d'abri, toutefois très rudimentaire.

Attention ! Pour monter au col de Salenton, depuis Villy, il vaut mieux décrire un grand arc de cercle plutôt que de tenter de l'atteindre en ligne droite. Cette remarque s'ajoute au fait que l'enneigement peut être important en début de saison, masquant les marques de balisage (souvent jusqu'au 15 juillet).

Gentianes

Des chalets, partir rive droite de la Diosaz que l'on traverse après 700 m. Remonter vers le fond du vallon. A partir de l'altitude 2 050 m, retrouver un sentier bien tracé qui revient dans la combe terminale sous le col. Remonter la combe enneigée (ou caillouteuse selon l'époque). On atteint le

2 h - Col de Salenton - 2 526 m

Ce col est le point culminant du Tour du Pays du Mont-Blanc. Il relie les vallées de la Diosaz et de Bérard. Il marque aussi la limite de la Réserve Naturelle des Aiguilles Rouges.

Hors GR : Ascension du Mont Buet (3h30 aller-retour)

Du Col de Salenton, il est possible d'atteindre le sommet du Mont Buet, aussi appelé "Mont-Blanc des Dames". Ce sommet culmine à 3 096 m et offre un panorama sur 360 degrés d'une remarquable beauté. Son ascension n' est à conseiller qu' aux randonneurs expérimentés. En effet, on trouve quasiment toujours des névés à traverser, avant la forte pente sommitale ainsi qu'au sommet. Partir en direction nord, parallèlement aux parois rocheuses et rejoindre la trace qui monte à gauche vers un premier replat ("La Table au Chantre") puis vers l'arête sommitale. Il est aussi possible de tenter cette excursion le lendemain, au départ du refuge de La Pierre à Bérard.(Horaire : 6 h 30 environ)

Refuge de Pierre à Bérard et bouquetins

Du Col de Salenton, le GR descend immédiatement dans la combe, généralement enneigée et à fort pourcentage de pente. *Des précautions sont à prendre sur la neige durcie.* Poursuivre à travers les pentes parsemées de gros blocs, dalles rocheuses ou pierriers. Utiliser au mieux les cairns pour repérer le cheminement et rejoindre le sentier, parfois humide, qui conduit en lacets au pied des pentes herbeuses. *Attention : si les petits ruisseaux sont recouverts de neige (souvent des résidus avalancheux), vérifier la solidité des "ponts" de neige avant de s'engager.*
Sur la droite de cet axe de descente, on atteint le

44 1 h 15 - Refuge de Pierre à Bérard - 1 924 m

Sympathique refuge niché sous un énorme bloc rocheux qui lui assure une efficace protection contre les nombreuses avalanches en hiver. Une récente extension en assure espace et confort.

Du refuge de la Pierre à Bérard, la descente se déroule sur terrain facile le long du torrent de Bérard. Un long replat précède une très belle forêt de mélèzes. Guidé par le murmure du torrent, on arrive à

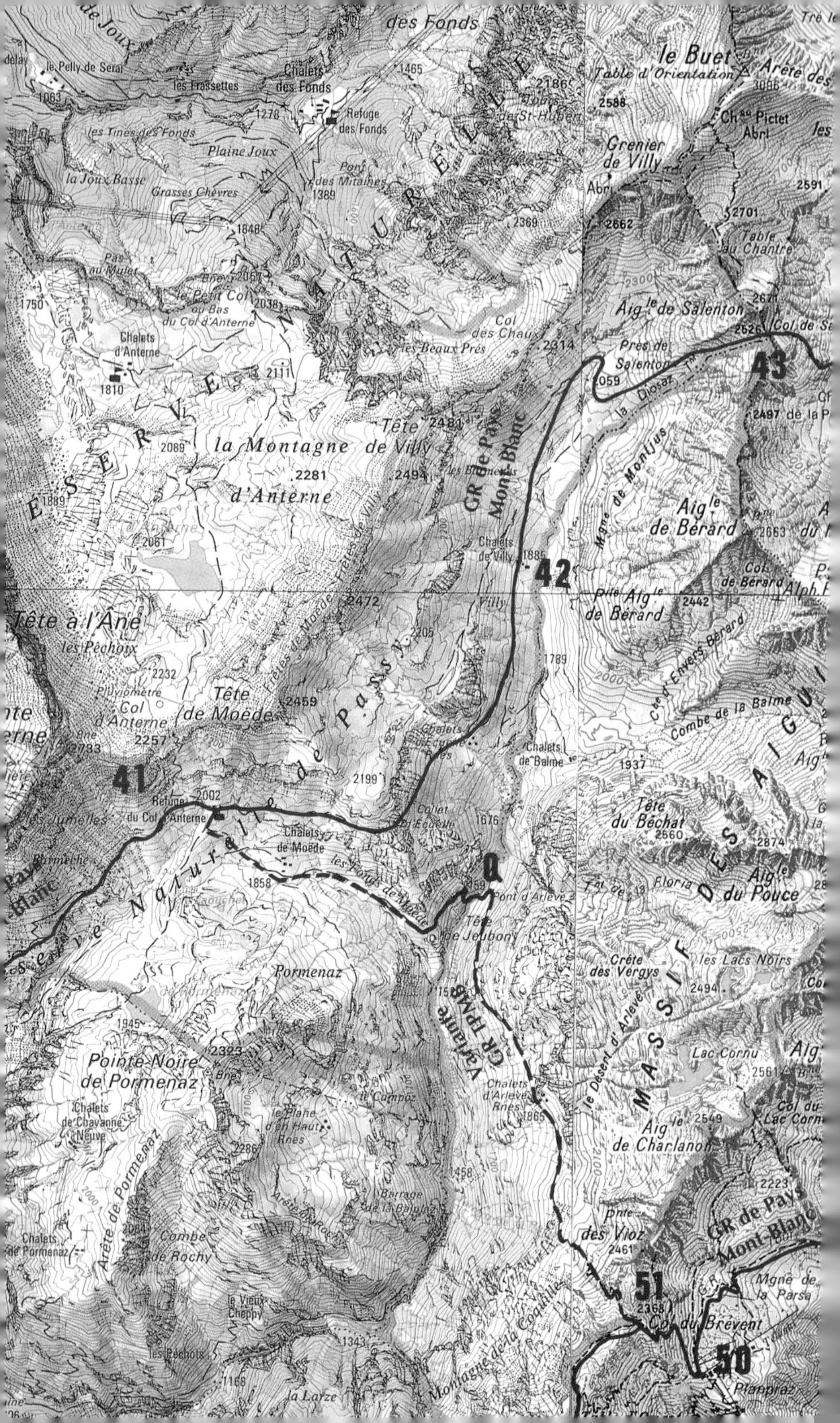

des Fonds
le Buet
Table d'Orientation
Arête des
le Pelly de Seraì
les Frassettes
Chalets des Fonds
1465
2186
Tours de St-Hubert
2588
3096
Refuge des Fonds
1278
Chalets Pictet Abri
les Tines des Fonds
Grenier de Villy
Abri
Plaine Joux
la Joux Basse
Grasses Chèvres
Pont des Mitaines
1389
2591
2662
2701
1848
2369
Table au Chantre
Pas au Mulet
le Petit Col ou Bas du Col d'Anterne
2057
2038
1750
Aig.le de Salenton
2671
2526
Col de Sa
Chalets d'Anterne
Col des Chaux
2314
les Beaux Prés
Prés de Salenton
43
2059
la Diosaz
1810
2111
Tête
2481
2497
2089
la Montagne de Villy
d'Anterne
2281
2494
GR de Pays Mont-Blanc
Mgne de Montjus
Aig.le de Bérard
2663
1889
2061
Chalets de Villy
1885
42
Col de Bérard
Pte Aig.le de Bérard
2442
2472
Villy
Tête à l'Âne
les Pêchoix
2205
1789
Cbe d'Envers Bérard
2232
Pluviomètre
Col d'Anterne
Tête de Moëde
2459
Combe de la Balme
2257
2733
Chalets de Balme
1937
41
2199
Refuge du Col d'Anterne
2002
Collet d'Écuelle
1676
les Jumelles
Tête du Béchat
2560
Chalets de Moëde
2874
Q
1858
les Fonds de Moëde
Aig.le du Pouce
Pont d'Arlevé
Tête de Jeubon
Crête des Vergys
les Lacs Noirs
Pormenaz
2494
Variante GR TMB
1945
Lac Cornu
Pointe Noire de Pormenaz
2323
2561
le Campoz
Chalets d'Arlevé
1865
Col du Lac Cornu
Chalets de Chavanne Neuve
le Désert d'Arlevé
Aig.le de Charlanon
2549
le Plane d'en Haut
2223
Arête de Pormenaz
1458
Barrage de la Balme
Pte des Vioz
2461
GR de Pays Mont-Blanc
Chalets de Pormenaz
Combe de Rochy
51
2368
Col du Brévent
Mgne de la Parse
le Vieux Cheppy
1343
Montagne de la Coquille
50
les Pêchots
1168
la Larze
Planpraz
MASSIF DES AIGUI
RÉSERVE NATURELLE
Réserve Naturelle de Passy

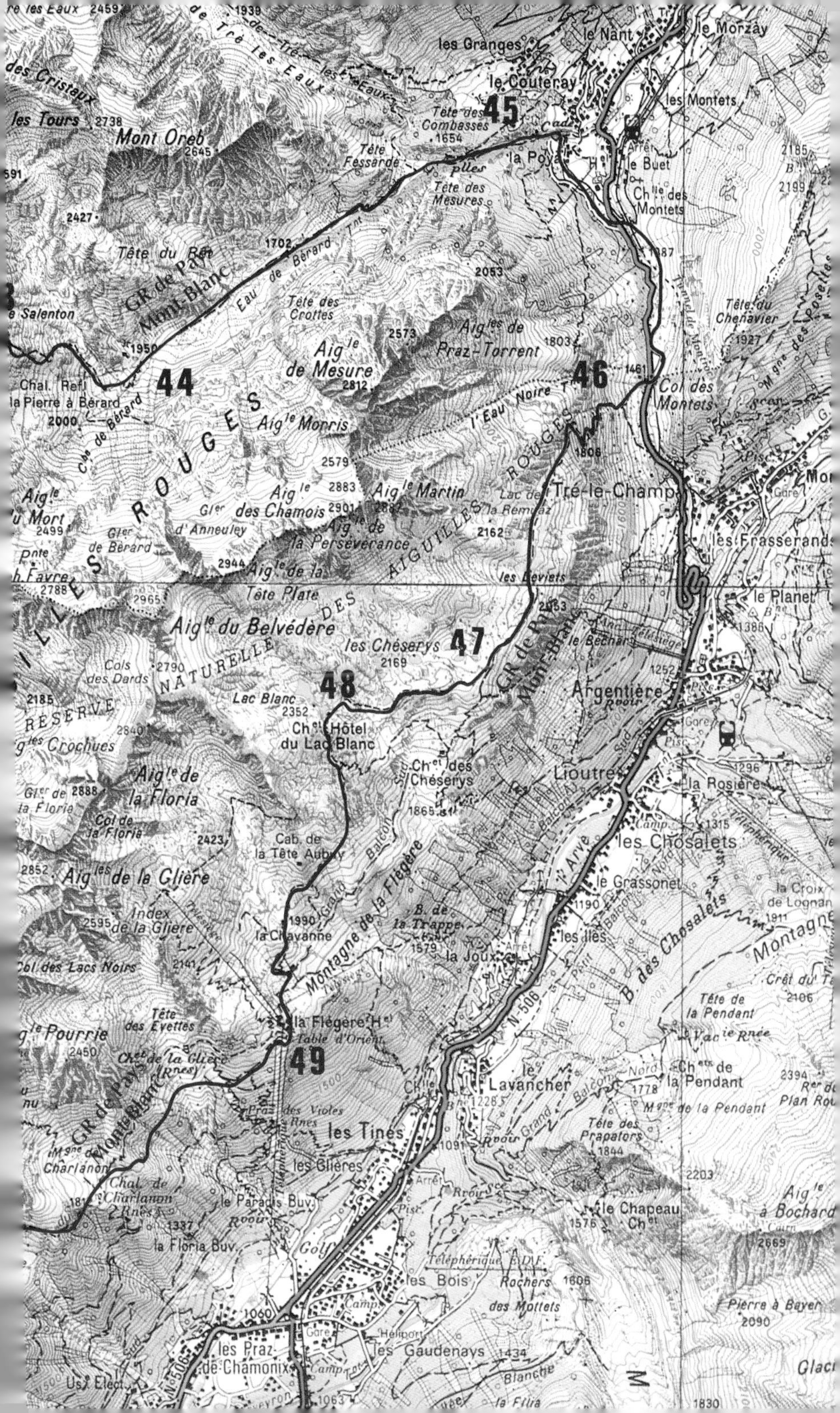

Mont Oreb
Tête du Ret
GR de Pays Mont-Blanc
Eau de Bérard
Tête des Crottes
Aigle de Mesure
Aigles de Praz-Torrent
44
45
46
47
48
49
le Couteray
les Granges
le Nant
le Morzay
Tête des Combasses
Tête Fessarde
Tête des Mesures
la Poya
le Buet
Chlle des Montets
les Montets
Tête du Chenavier
Col des Montets
l'Eau Noire
Chal. Refl la Pierre à Bérard
Aigle Morris
AIGUILLES ROUGES
Aigle Martin
Aigle des Chamois
Aigle de la Persévérance
Gler d'Anneuley
Gler de Bérard
Lac de la Remuaz
Tré-le-Champ
les Frasserands
Tête Plate
Aigle du Belvédère
RESERVE NATURELLE DES AIGUILLES ROUGES
les Chéserys
le Planet
Argentière
Lac Blanc
Chet Hôtel du Lac Blanc
Chet des Chéserys
Lioutre
la Rosière
les Chosalets
Cab. de la Tête Aubuy
Aigle de la Floria
Col de la Floria
Aigles de la Glière
Index de la Glière
Col des Lacs Noirs
la Chavanne
B. de la Trappe
la Joux
le Grassonet
les Iles
B. des Chosalets
Montagne de la Flégère
Grand Balcon Sud
la Flégère
Table d'Orient
Tête des Evettes
le Lavancher
Chets de la Pendant
Tête de la Pendant
les Tines
les Glières
Tête des Prapators
le Paradis Buv.
la Floria Buv.
le Chapeau
Aigle à Bochard
les Bois
Rochers des Mottets
Pierre à Bayer
les Praz de Chamonix
les Gaudenays
N 506

1 h 15 - La Cascade de Bérard - 1 420 m

On peut prévoir une quinzaine de minutes pour aller voir, en contrebas du chalet la très belle cascade que produit le torrent, et découvrir la grotte du Faux-Monnayeur.

La grotte du Faux Monnayeur
Si cette vaste caverne naturelle sous de gros blocs rocheux porte un nom surprenant, c'est qu'il pourrait être rattaché à la légende de Farinet, fils de paysan très modeste vivant non loin de là, au-delà du Col de la Forclaz , en Suisse.
Farinet devient célèbre en découvrant des filons aurifères dans la montagne. En outre, il détient un secret pour fabriquer des pièces d'or d'une qualité exceptionnelle ! ... Malheureusement, ces pièces n'ont pas cours légal, et lorsqu'il essaie de les écouler, il se fait arrêter par la maréchaussée. Dès lors, évasions et arrestations vont se succéder pour Farinet qui, toujours, revient se cacher dans sa grotte où il continue de fabriquer des pièces d'or en se sachant à l'abri. (Rappelons-nous qu'en effet, à l'époque, seul un passage escarpé était parfois possible rive gauche du torrent, lorsque les eaux le permettaient).Les gens du pays et notamment une servante amoureuse lui accordent amitié et soutien. Mais cela ne l'empêche pas d'être dénoncé, et bientôt les gendarmes cernent son repaire. Il tente de s'échapper par la gorge voisine, mais en vain ... Le torrent de Bérard l'emporte avec son secret!
(Extrait de "Farinet ou La Fausse-Monnaie" - RAMUZ)

Au niveau du petit pont de bois, le chemin se sépare en deux parties qui se réunissent à nouveau un peu plus loin sur une petite esplanade, cul-de-sac d'une route forestière. Laisser à droite le large chemin et prendre à gauche un sentier plus étroit. Continuer le tracé principal de ce sentier qui, toujours descendant, décrit un angle aigu à gauche et débouche dans une clairière avec d' anciens chalets typiques : la Poya (1 370 m). Ne pas passer entre les maisons, car dès le premier chalet , le GR fait un angle droit et bifurque à droite sur un large chemin. On arrive à la RN 506.
Hors GR: La fontière suisse est à 5 km, et le village de ***Vallorcine à 15 min.***

Vallorcine :      

Traverser, monter légèrement en direction d'une petite route goudronnée et passer sous un pont SNCF. Prendre le sentier à gauche, traverser le torrent de l'Eau Noire sur la passerelle pour retrouver l'ancien "chemin des Diligences", où les attelages passaient encore au siècle dernier.
On longe le mur paravalanche, et alors que le sentier s'élargit, on découvre, au-dessus des aulnes verts, de très belles perspectives sur les Aiguilles de Chamonix. On rencontre à nouveau la RN 506 que l'on traverse pour prendre, en face, un intéressant chemin botanique sur lequel on pourra "herboriser" jusqu'au

46 40 min - Col des Montets - 1 461 m

Le *Col des Montets est au cœur de la Réserve Naturelle des Aiguilles Rouges. Le chalet d'accueil est une source inépuisable de renseignements sur le milieu naturel environnant: audio-visuel, livres, études, musée, cartes, microscopes. C'est aussi une buvette. Ouvert pendant la saison estivale.Dans le périmètre de la Réserve Naturelle des Aiguilles Rouges, la flore et la faune sont protégées. Les chiens sont interdits, même tenus en laisse, le camping n'est pas autorisé.*

Du chalet-laboratoire du Col des Montets, s'engager sur le sentier botanique, puis rapidement prendre à droite le sentier qui monte tout d'abord en lacets serrés, franchit des ressauts rocheux, puis traverse les replats de la Remuaz, et atteint enfin un important cairn triangulaire.

47 2 h 10 - La Tête-aux-Vents - 2 090 m

Le panorama y est grandiose : de droite à gauche : l'Aiguille du Goûter (3 863 m), le Dôme neigeux du Goûter (4 304 m), le Mont-Blanc (4 807 m), le Mont Maudit (4 465 m), le Mont-Blanc du Tacul(4 248 m), l'Aiguille du Midi (3 842 m), les Aiguilles de Chamonix. La grande dépression de la Mer de Glace avec, en arrière plan, la ligne frontière France-Italie et les sommets de la Dent du Géant (4 013 m) et des Grandes Jorasses (4 109 m).

Toujours à gauche, les Drus (double sommet rocheux à 3 754 m) et l'Aiguille Verte (sommet neigeux à 4 121 m), le Mont Dolent (triple frontière Suisse-Italie-France), le glacier d'Argentière, l'Aiguille du Chardonnet (3 824 m), le glacier du Tour, l'arête des Autannes et le col de Balme (2 191 m).

Au-dessus de la "Tête-aux-Vents". Vue sur le massif du Mont-Blanc

Ici, les randonneurs du Tour du Mont-Blanc arrivent de Tré-le-Champ (1 417 m) (Gîte d'étape "La Boerne") et descendent directement vers La Flégère.

La cheminée ou "boerne"

Tous les villages du pays du Mont-Blanc avaient en commun, en plus de la traditionnelle salaison, une méthode originale de conservation de la viande : le fumage.

Les cuisines étaient alors équipées d'une cheminée de bois : la "borne" ou "boerne" ou "cheminée sarrazine". Un immense manteau de 3 mètres de côté environ recueillait la fumée de l'âtre qui brûlait 3 ou 4 mètres plus bas, cette fumée ayant léché au passage les jambons et autres victuailles qu'on y avait accrochés.

Le conduit de la cheminée, vaste pyramide, débouchait directement sur le toit en une grande ouverture (50 centimètres de côté) qui servait aussi d'aération et qu'on pouvait fermer à l'aide de perches ou de treuil en cas de mauvais temps.

Lac des Chéserys- Aiguille du Chardonnet et bassins glaciaires d'Argentière et du Tour

Le GR de Pays du Mont-Blanc bifurque à droite et monte en direction du Lac Blanc. Quelques centaines de mètres plus loin, se trouve un second cairn (2 130 m)
La montée se continue en surplombant les très beaux lacs des Chéserys. Les courts passages raides sont équipés d'échelles métalliques permettant ainsi un accès aisé, quelle que soit l'importance des névés, au

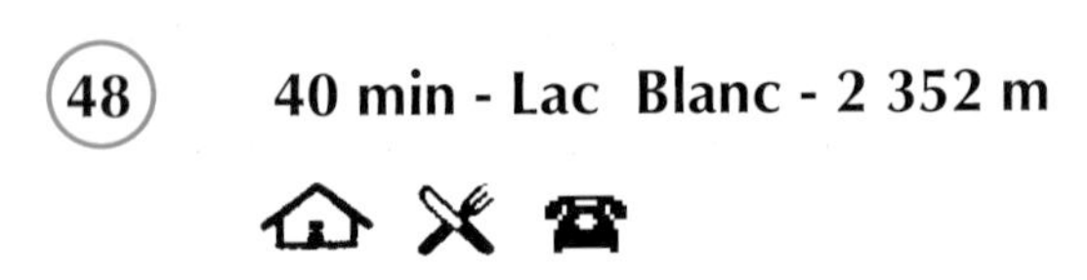

48 40 min - Lac Blanc - 2 352 m

Refuge neuf avec douches. Situation exceptionnelle au bord du lac, face au massif du Mont-Blanc.

Hors GR : Le Super-Balcon :

Du Lac Blanc, une variante permet de gagner Planpraz par le "Super Balcon" récemment tracé. Prendre le chemin de traverse vers l'Index (2 385 m - Gare d'arrivée du télécabine), puis continuer encore un peu à niveau avant de descendre par un large chemin dans la Combe de la Glière. Remonter cette combe sur son versant opposé jusqu'au Col de la Glière (2 461 m) (Passage équipé d'un câble). Très belle vue sur le Lac Cornu et la chaîne des Fiz. Traverser vers le Col du Lac Cornu (2 414 m) (Névés parfois tardifs) puis descendre à droite vers Planpraz (2100 m)

Du Lac Blanc, quitter le replat pour retrouver le chemin qui descend et qui, à mi-parcours, quitte la Réserve Naturelle. Croiser les pistes de ski au point le plus bas pour reprendre à gauche un sentier qui rejoint

1 h 15 - La Flégère - 1 877 m

Refuge dans le bâtiment inférieur. Arrivée du téléphérique Les Praz de Chamonix-La Flégère. On retrouve le Tour du Mont-Blanc dont l'itinéraire est maintenant commun avec notre GR.

Contourner par l'aval la gare du téléphérique pour s'engager horizontalement sur un agréable sentier : le Grand Balcon Sud. Descendre une courte cheminée équipée de marches et de câbles, et rejoindre, après un pierrier, le sommet de la forêt qui s'ouvre sur les anciens alpages de la Charlanon (1 812 m). *Point d'eau.*Laisser à gauche le sentier qui descend à Chamonix. Continuer le Grand Balcon Sud, en prenant soin d'éviter, autant que possible, les pistes de ski pour rester sur les petits sentiers beaucoup plus agréables jusqu'à

2 h - Planpraz - 2 080 m

Restauration au chalet "Altitude 2000"

Proximité de la station intermédiaire des téléphériques: de Planpraz, descente directe sur Chamonix ou montée rapide vers le sommet du Brévent.

Ces installations, aujourd'hui rénovées, datent des années 1928-1932. C'était, à l'époque, d'une grande audace technique: la portée, sans pylône, entre les deux gares est de 1 348 m pour une dénivelée de 515 m et une hauteur au sol d'environ 350 m.Un nouveau téléphérique a été installé en 1988.

Au pied des pentes herbeuses, près d'un gros rocher, le chemin s'élève en lacets vers la crête sommitale. A mi-hauteur, laisser à droite le sentier permettant d'accéder aux écoles d'escalade de Clocher-Clochetons.

Le randonneur découvre depuis le sommet un vaste panorama et un important cairn marquant

Chamonix
Chamonix est un haut lieu du tourisme : 3ème site naturel visité au monde après le Fujiyama et les chutes du Niagara. Pourtant, il reste à découvrir le Chamonix des personnes qui l'habitent. Les uns en ont hérité, ils y sont nés et leurs racines sont profondes. D'autres y sont venus par hasard et s'en iront bientôt. Certains ne font qu'y passer, pour voir ce que tout le monde a vu. D'autres encore en ont fait leur terre d'adoption ... Mais tous, à leurs façons, aiment Chamonix avec passion.

Les *"rocs hideusement beaux"* et l'*"imposante grandeur des glaciers"* de l'époque romantique attirent toujours les contemplatifs. Les peintres se sont transformés en photographes, mais ils continuent de trouver à Chamonix les plus beaux paysages, les plus pittoresques points de vue, les plus grandioses montagnes. Lacs et forêts, dômes étincelants et glaces bleutées, rhododendrons et gentianes pourpres, c'est Chamonix.
Les montagnes *"maudites"* habitées par des *"dragons qui crachent des pierres"* sont le domaine des explorateurs. Les sommets à découvrir se font rares aujourd'hui, mais il y a toujours quelque face cachée, quelque goulotte de glace ou quelque falaise surplombante pour les aventuriers des temps modernes.
Pour les sportifs, Chamonix offre toute la gamme. Dans le haut du tableau,président l'alpinisme et le ski avec toutes leurs variantes: grimpe, glace, randonnée pédestre, ski alpin, ski artistique ou ski de fond... Les sports de glace, traditionnels, conservent la place d'honneur : hockey, patinage artistique, patinage de vitesse. N'oublions pas que c'est à Chamonix qu'ont eu lieu les premiers Jeux Olympiques d'Hiver : c'était en 1924. Toutes les facilités pour l'exercice de ces sports, et de tous les autres qui ne peuvent pas être cités, sous peine d'oubli, peuvent être trouvées à Chamonix.

Les scientifiques, quant à eux, ont sous la main la matière même de leur recherche: glace, neige et avalanches, roches et minéraux, flore et faune de montagne. Ils ont, parallèlement, les structures d'appui pour leurs sciences : réserve naturelle des Aiguilles Rouges, Ecole Nationale de Ski et d'Alpinisme, station météo, refuge des Cosmiques à plus de 3500 mètres d'altitude ...
Les touristes sont nombreux : Chamonix compte jusqu'à 120 000 personnes par jour en été. Leurs désirs sont variés. Les remontées mécaniques leur offrent toutes les excursions : Aiguille du Midi, Brévent ou Mer de Glace, tandis que le centre-ville essaie de se faire très accueillant avec fleurs, fontaines et zones piétonnes. Concert classique, fête traditionnelle, concours sportif, lèche-vitrine ou piano-bar ... tous les goûts sont satisfaits. Pourt l'hébergement, du 4 Etoiles au terrain de camping, Chamonix ouvre tout grand ses portes, quelles que soient les bourses. Les Chamoniards ont hérité du pays où ils sont nés : caractère, rigueur, noblesse. Ils ont su garder quelques unes des traditions montagnardes les plus tenaces, celles qui permettent à la ville de conserver son authenticité.

Chamonix :       $ 

51 1 h - Le Col du Brévent - 2 368 m

C'est la jonction avec le GR5 - Hollande-Méditerranée - venant du Lac Léman. C'est aussi la jonction avec la variante pour le refuge de Moëde-Anterne par le Pont d'Arlevé.(Description page 61)

Le Glacier des Bossons

Durant cette traversée le randonneur ne pourra manquer d'être impressionné par le glacier des Bossons, "la plus grande cascade de glace d'Europe".
3 600 mètres de dénivelé, une pente supérieure à 50 %, long de 8 km, le glacier occupe une surface de près de 1 000 hectares et draine presque jusqu'au fond de la vallée la masse de glace des faces ouest et nord du Mont-Blanc ...
Ce glacier attire parce qu'il descend jusque dans le monde des hommes, quittant le monde minéral pour terminer en agissant comme un bulldozer, bousculant rochers et forêts. Pendant trente ans les glaciers ont à nouveau été en crue et celui des Bossons est sans doute en France celui qui illustre le mieux ce phénomène. Son front avait avancé de 300 mètres dans la vallée.
Le glacier des Bossons est aussi le témoin muet de grandes catastrophes dont il transporte les restes dans ses entrailles. Sa langue terminale a restitué, par exemple en 1978, un sac postal de l'avion indien "Malabar Princess" qui s'était écrasé vers le sommet du Mont-Blanc le 3 Novembre 1950.
On a retrouvé, 40 ans après et 3 600 mètres plus bas, les corps d'alpinistes de la caravane Hamel, tombée sur le chemin du Mont-Blanc en 1820...

Le GR emprunte un sentier qui se faufile entre deux arêtes rocheuses avec un petit passage escarpé. On y trouve souvent des plaques de neige. Puis on rejoint une large piste de ski dont on suit les deux lacets en admirant la vue sur le vallon de la Diosaz et la chaîne des Fiz. Le Tour du Pays du Mont-Blanc bifurque à droite par le seul sentier possible en direction du Lac du Brévent que l'on distingue en contrebas.

Atteindre le

Le chocard à bec jaune

52 30 min - Sommet du Brévent - 2 525 m

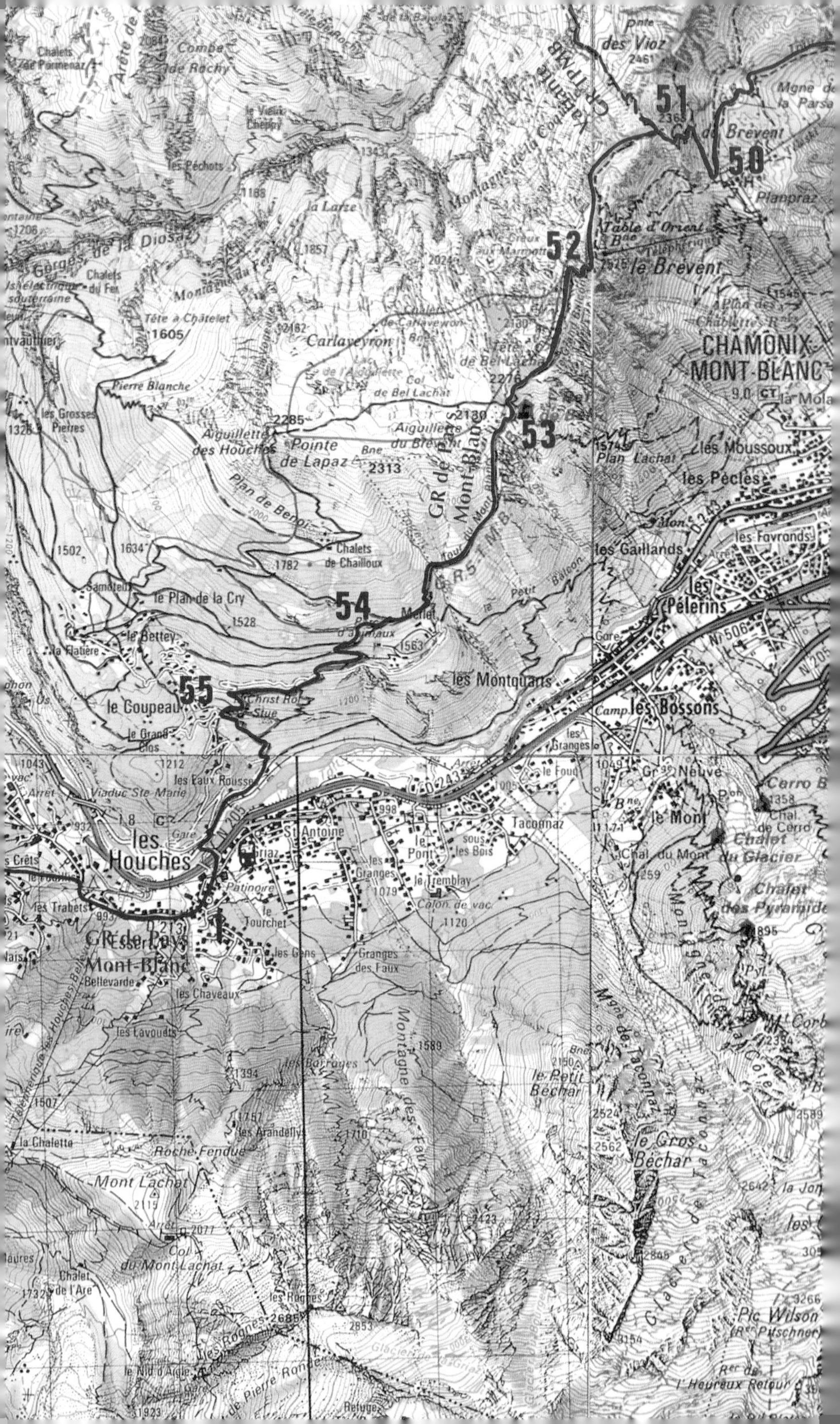

50
51
52
53
54
55
1
CHAMONIX MONT-BLANC
le Brévent
Planpraz
Col de Brévent
des Vioz
Table d'Orient
Plan Lachat
les Moussoux
les Pècles
les Gaillands
les Favrands
les Pélerins
les Bossons
les Montquarts
Merlet
Chalets de Chailloux
Plan de Bengi
Pointe de Lapaz
Aiguillette des Houches
Aiguillette du Brévent
Col de Bel Lachat
Tête de Bel Lachat
Carlaveyron
Chalets de Carlaveyron
Montagne de la Coquille
Montagne du Fer
Tête à Châtelet
Gorges de la Diosaz
Combe de Rochy
Chalets de Pormenaz
les Péchots
la Larze
Pierre Blanche
les Grosses Pierres
le Plan de la Cry
le Bettey
la Flatière
le Coupeau
le Grand Clos
les Eaux Rousses
Viaduc Ste Marie
les Houches
St Antoine
le Pont
sous les Bois
Taconnaz
les Granges
le Tremblay
le Tourchet
les Gens
Granges des Faux
les Chaveaux
Bellevarde
les Lavouets
les Trabets
GR de Pays Mont-Blanc
GR de Pays Mont-Blanc
GR 5 - T.M.B.
GR TMB
Montagne des Faux
les Barrages
les Arandellys
Roche Fendue
la Chalette
Mont Lachat
Col du Mont Lachat
Chalet de l'Are
les Rognes
le Nid d'Aigle
Glacier de Pierre Ronde
Refuge
le Petit Béchar
le Gros Béchar
Mgne de Taconnaz
Glacier de Taconnaz
Montagne de la Côte
Chalet du Glacier
Chalet des Pyramides
Pic Wilson
Rer de l'Heureux Retour
Gr Neuve
le Mont
Chal. du Mont
Cerro
N 506
N 205
D 243
D 213
2285
2313
2130
2276
2525
2461
2368
1605
1528
1563
1782
1502
1634
993
1079
1120
1589
1394
1757
1710
1507
2115
2077
1732
2685
2853
2423
2524
2562
2642
2334
1895
1358
1259
1049
1043
1212
932
998
1923
3154
3266

Le sommet du Brévent offre un belvédère exceptionnel sur le massif du Mont-Blanc. On peut suivre le développement complet des grands glaciers : Les Bossons et Taconnaz, ainsi que les voies d'accès au plus haut sommet d'Europe : le Mont-Blanc. Par ailleurs, le champ de vision du sommet du Brévent permet de retracer la quasi-totalité de la boucle que constitue le Tour du Pays du Mont-Blanc.

De la bifurcation précédente, descendre à travers un pierrier, puis continuer le long de l'arête sommitale reliant le Brévent à la Tête de Bel-Lachat.
Laisser à droite le chemin menant à l'Aiguillette des Houches pour arriver au

45 min - Chalet de Bel-Lachat - 2 136 m

Refuge assez petit mais très agréable qui jouit d'un emplacement unique au-dessus de la vallée de Chamonix.

HORS GR : l'Aiguillette des Houches
Pour les amateurs de variantes, il est possible de faire la très facile ascension de l'Aiguillette des Houches (2 285 m) en 1 h. Après une longue traversée ascendante, le sommet offre un très beau point de vue. La descente peut se faire par le même itinéraire, mais également par le versant Sud. Le chemin emprunte une combe raide et pierreuse au départ, puis traverse des alpages marécageux avant d'arriver aux chalets de Chailloux (1923 m) où l'on rejoint une piste plus large. Après la première épingle à cheveux, prendre un petit sentier à gauche qui rejoint le GR principal à Merlet.

Du chalet, laisser à gauche le sentier de Chamonix et prendre à droite celui qui, en lacets serrés, descend dans le ravin des Vouillourds que l'on traverse complètement (rampe métallique). On retrouve, après les premiers épicéas et la zone forestière un second passage équipé de marches qui nous amène au torrent de la Paz que l'on franchit avant de rejoindre en forêt le coin supérieur du parc animalier de

1 h 20 - Merlet - 1 600 m

Parc privé de 23 hectares, créé en 1968 où vivent en semi-liberté chamois, bouquetins, mouflons, daims et même lamas.
Buvette et restauration à l'intérieur. Téléscope. Entrée payante . Pique-niques et chiens interdits.Ouvert tous les jours de mai à septembre.
Pour accéder à l'entrée du parc, descendre à gauche.

Pour continuer la randonnée, partir à droite en longeant le grillage. Laisser plusieurs sentiers à droite (Direction le Lac Noir), et, à chaque bifurcation, toujours

favoriser le chemin de la descente. Une zone dégagée où la végétation a souffert d'une importante avalanche offre un agréable point de vue sur le village des Houches.
Puis le chemin s'élargit et rejoint la route carrossable que l'on emprunte à la descente. On abandonne très rapidement cette voie pour prendre à gauche un sentier en forêt jusqu'au

 45 min - Christ-Roi - 1 180 m

La statue du Christ-Roi
Cette colossale statue, haute de 17 mètres, œuvre du sculpteur Serraz, est l'aboutissement d'un vœu formulé par l'abbé Claude-Marie Delassiat : un remerciement au "Tout-Puissant" pour avoir épargné la vallée des bombardements et destructions de la Première Guerre Mondiale.Le 19 Août 1934 , elle est inaugurée par Monseigneur l'Evêque d'Annecy et 4 000 personnes sont rassemblées pour cette occasion. Le capital nécessaire à cette réalisation a été reccueilli sous forme de quêtes et un grand nombre de pièces de bronze a été amassé pour couler la cloche qui devait sonner la paix du monde. Dans la chapelle du socle on trouve plusieurs statues parmi lesquelles un buste du Pape Pie X et celle d'Achille Batti, grand alpiniste et auteur de l'encyclique sur le Christ-Roi.

Quelques mètres en aval du Christ-Roi, le chemin tourne brusquement à gauche, puis toujours descendant, s'élargit peu à peu pour devenir une route forestière parallèle à la rivière. A droite, dès les premières habitations, la route est goudronnée. Au carrefour, distant de quelques centaines de mètres, tourner à gauche, franchir un pont sur la voie ferrée et terminer la descente au pont des Gures (980m). A droite se trouve la

25 min - Gare SNCF des Houches

Traverser la rivière Arve par le pont routier/barrage EDF. Continuer tout droit par la route et, après une courte montée, le centre du village se trouve à droite.
L'itinéraire arrive en vue de l'église, et bientôt au cœur du village des Houches. *La boucle est fermée, l'aventure achevée. Les souvenirs, uniques, et l'énergie nouvelle que la randonnée a générés permettent de nouveaux rêves vers de nouvelles destinations.*

Alpage au-dessus des Houches

Un porche de bois à Deramey

Une façade colorée aux Chavands

Des murs de pierres près du col des Montets

Le vieil habitat traditionnel : plein de charme ...

Une fontaine-abreuvoir à Combloux

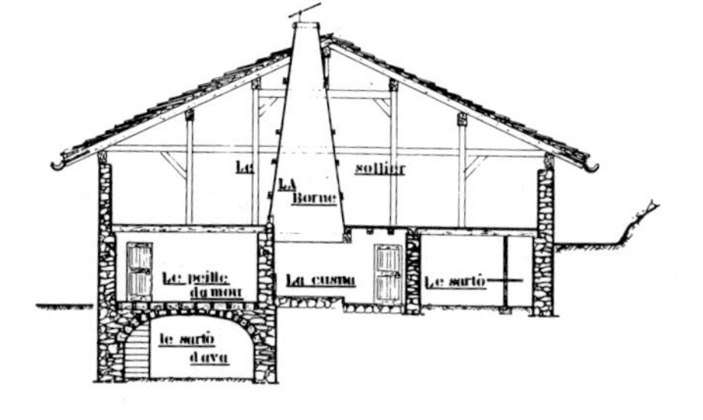

Coupe d'une ferme traditionnelle
Document de l'association d'action culturelle et sociale des Contamines-Montjoie

Eglise de Cordon:
Peinture de plafond

Eglise de Chamonix:
Vitrail de la tribune

Quelques églises baroques ...

... au Pays du Mont-Blanc

Eglise de St Nicolas de Véroce:
Chœur et nef

Eglise de Notre-Dame de la Gorge:
Façade peinte

Epilobe

Anémones soufrées

Les fleurs de montagne : rares ou communes, c'est le plaisir des sens

Carline sans tige

Cirse

Ancolie

VARIANTE DES LACS (Carte pages 52 et 53)

24 Col de Jaillet - 1 723 m

Suivre pendant 15 min le chemin descendant nord-est jusqu'au Plan des Crêtes (1687 m). Laisser le chemin qui descend vers Megève et continuer. Traverser le télésiège du Jouty et le téléski de Plaine-Joux (1 645 m). Descendre en terrain découvert (piste de ski) et passer près d'un chalet au lieu-dit Plaine-Joux (1 550 m). Suivre sensiblement la piste de ski par le chemin qui serpente en sous-bois, passer près d'un chalet rénové "Le Chable" (1 450 m). Continuer jusqu'à la bifurcation suivante, prendre à droite et arriver dans une clairière. Tourner à gauche direction nord pour arriver au

I 1 h 15 - Gîte des Fovrents - 1 233 m

Cent mètres avant le gîte des Fovrents, prendre à droite vers l'est et descendre jusqu'au village du Vernay (1 157 m). Suivre la route goudronnée à droite, traverser le torrent d'Arvillon. A gauche après le torrent, prendre un sentier qui pique en sous-bois pour arriver au hameau du Bouchet (1 000 m). Le traverser direction sud-est. Prendre un petit chemin qui descend vers l'église au clocher majestueux, après avoir longé le cimetière, on arrive à

Combloux

Double bulbe, double galerie octogonale, une flèche qui s'élance à 44 mètres de hauteur, le clocher de Combloux récemment restauré est incontestablement un des plus beaux du pays. Initialement érigé en même temps que l'ensemble de l'église entre 1702 et 1704, il est démoli pendant la Révolution et ne sera reconstruit que quarante ans plus tard. L'art baroque de l'intérieur de l'église a été introduit dans la région par les maçons imigrés tyroliens, bavarois ou italiens. Ils aimaient orner leur lieu de culte de dorures et de couleurs vives. Ici, dominent le rouge et le vert : deux rétables en bois sculpté et polychrome, des colonnes torses ornées de vignes, une statue de la Vierge à l'Enfant en bois sculpté du XVIIe siècle ...

Le clocher de Combloux

1 h - Combloux - 971 m

Descendre sur la place. Traverser la RN 212, descendre au coin de la banque par le chemin de la Promenade entre d'anciennes maisons. En gardant la même direction, se rendre à Pollet (884 m) où l'on retrouve la RN 205 dans un virage, au pied d'un muret. Prendre à droite dans le virage la route du Cruet. Traverser la forêt, le hameau du Cruet est à 10 min. Prendre à gauche en direction du Coudray (729 m) un chemin qui traverse une grande forêt. Franchir un torrent impétueux au lieu-dit "Le Creux du Moulin" . *(Quelques ruines, vestiges d'un moulin à grains encore en service au début du siècle).* Rejoindre le CD 199, descendre la côte de Domancy *(Championnat du Monde Cycliste de 1980),* passer devant l'église St André *(reconstruite en 1717 et entièrement restaurée en 1986-87).* On arrive dans la plaine de l'Arve à

1 h - Domancy (Létraz) - 564 m

Domancy

A l'origine, la plaine de Domancy était couverte de marécages. L'Arve s'étalait en plusieurs bras, et les torrents du Bonnant, du Nant Chaurez, du Nant de Vex, d'Arbon et d'Arvillon répandaient librement leurs crues. On attribuait à cet excès d'humidité les nombreuses déficiences physiques et mentales des habitants : crétinisme, goîtres ... C'est un ingénieux agriculteur, Jean CATHAUD, qui eut l'idée de drainer ses terres. Les résultats furent merveilleux, le sol, constitué d'alluvions, se révélant dès lors très fertile. Aussitôt, d'autres paysans l'imitèrent, et la rive gauche de l'Arve, entre St Gervais et Sallanches, se trouva transfigurée. Aujourd'hui, son économie reste essentiellement rurale, une importante fabrique de fromages s'y est implantée et sa position géographique est privilégiée. Adossée au côteau, elle constitue un remarquable belvédère sur toute la chaîne du Mont-Blanc, les aiguilles de Varan et la chaîne des Aravis.

Traverser la RN 205 près de la fromagerie par un passage piéton souterrain. Longer le CD 199 jusqu'à la voie ferrée *(D'ici on peut gagner en 5 min les lacs de Passy -baignade- et en 15 min les campings).* Traverser la voie ferrée, franchir l'autoroute, traverser l'Arve au pont de la Carabote (560 m). Le sentier monte en face, rejoint Les Regards, prend le chemin des Dames (traverser le CD 13). Revenir à Boussaz (660 m) par la forêt de hêtres et traverser le torrent. Monter à droite et par un chemin non goudronné gagner l'est du hameau du Grand Essert. Le chemin traverse une forêt de pins sylvestres, hêtres et épicéas. En revenant vers l'est par une route goudronnée on arrive au hameau

(L) 1 h 20 - Les Julliards - 963 m

Le Château de Charousse
Situé à 500 mètres à l'est du hameau des Julliards, le Château de Charousse (nom d'origine celtique : *car* pour rocher et *rost* pour brûlé) était bâti sur un contrefort des Aiguilles de Varan, à 1000 mètres d'altitude, en haut d'une falaise de plus de 100 mètres. De ce point, la vue s'ouvrait sur la totalité de la vallée de l'Arve, son débouché au sortir de Servoz, celui du Bonnant, les accès de Megève et la sortie vers Cluses.
Il formait, au XIIIe siècle, une vaste enceinte de 240 mètres de périmètre, fermée par un mur de pierres de 2,50 mètres d'épaisseur. Un large fossé, des défenses en bois, un donjon carré de 10 mètres de côté, une porte à échauguette ... c'était un vrai château-fort, abri où l'on pouvait stocker des provisions et du vin, et où il était possible de se réfugier en cas de besoin.

Monter vers Hauteville. Avant le hameau (1 000m), prendre à droite. Après 250 m prendre vers le bas et traverser le pont du Crébet pour arriver dans un virage de la route de Bay au Coudray. Près d'un oratoire, monter entre les maisons, retrouver un virage de route, puis le quitter et monter par un sentier (dit de la Résistance). Pénétrer dans la forêt après les dernières maisons pour rejoindre la piste de Varan par des raccourcis raides.
La jonction avec l'itinéraire principal se fait au

36 2 h 15 - Perthuis d'en-Bas - 1 360 m

VARIANTE de SERVOZ (Carte page 58)

Variante balisée dans les deux sens.
De Plaine-Joux (Repère 39) rejoindre, en suivant un chemin parallèle à la route goudronnée, le

N 30 min - Lac Vert

Du Lac Vert, s'engager à droite du restaurant sur une route forestière bordée de gros blocs de roche calcaire. Après un petit ruisseau, prendre si possible à gauche le raccourci, ou continuer par la route en descendant et en privilégiant à chaque carrefour la direction de gauche. On arrive ainsi au parking et au lieu-dit de La Côte (1 082 m). Dès les premiers mètres de la route goudronnée, prendre à droite le chemin pour piétons qui croise la route par deux fois. Continuer la descente en passant à proximité d'anciennes fermes jusqu'à une très belle fontaine: à cet endroit, quitter l'évident chemin et bifurquer perpendiculairement à droite, traverser un pré dans sa partie supérieure et entrer dans la forêt. Continuer la descente dans un très beau sous-bois jusqu'au

1 h - Vieux Servoz - 820 m

Dès l'entrée du hameau, on remarque à droite le gîte d'étape "Home St Maurice".

La tradition orale du village raconte qu'un invendie ravageait le Vieux Servoz. Quelques habitants, effrayés, prièrent Saint Bernard d'arrêter le feu et firent promesse d'élever un oratoire à sa gloire s'ils étaient exaucés.
Les flammes s'arrêtèrent devant leur maison et ils vendirent une vache pour construire l'oratoire qui se dresse aujourd'hui encore au coin de la ruelle.

La variante traverse le village du Vieux Servoz en ligne droite; on admire oratoire, fontaine et four à pain. *Le chef-lieu de **Servoz** se trouve à quelques minutes.*

Servoz
On a retrouvé, à Servoz, des vestiges très anciens, dont certains de l'époque Gallo-Romaine. Toute la plaine est alors recouverte d'un lac ("Serva" : petit lac), fermé à l'ouest par le massif des Gures qui se vide brutalement à la suite d'une crue particulièrement importante, et noie l'actuelle plaine de Chedde où se trouvait la cité romaine de Dyonisa.
En 1864 on découvre une galerie souterraine dans le passage de la Rateria (actuel tunnel routier), puis plus tard, des traces d'aménagement hydraulique aux Egratz qui laissent supposer la présence d'un aqueduc romain.
Du XIII e siècle, on retrouve les ruines du Château St Michel, tandis qu'au XVIIIe Servoz fait une tentative, de très courte durée, dans l'exploitation minère de la montagne de Pormenaz : plomb, fer, étain, argent, et même or.
Le site magnifique des gorges de la Diosaz, classé à ce jour, est exploité depuis plus d'un siècle. En 1874, Achille BAZIN s'en rend acquéreur et aménage le sentier qui surplombe le torrent bouillonnant au fond du ravin.

Servoz :

Continuer en face par la route goudronnée; traverser un pont dit "Pont des Lanternes", laisser à droite le sentier montant au camp celtique des "Gures" avant de butter en cul-de-sac sur la voie ferrée et la maison désaffectée du garde-barrière. Monter à droite près d'une croix de bois puis surplomber les deux tunnels routiers.

Four à pain - Dessin Jean Perot

Le camp celtique des Gures.
Le massif des Gures s'élève à 940 mètres d'altitude entre la rive gauche de l'Arve et le vallon du Chatelard où s'étirent autoroute et voie ferrée. Le sommet du massif se présente comme un plateau de 1500 m de long sur 100 à 150 m de large. Ce site, naturellement bien défendu, est connu depuis le siècle dernier. Occupé sans doute par différentes peuplades suivant les époques, il semble que les Celtes aient été les plus actifs dans cette occupation. Des observations très récentes ont permis de découvrir un système de fortifications et de portes défendues très complet, ainsi que des preuves d'occupation datant du IIe et IIIe siècles. L'origine des noms de lieux rappelle la langue celte.

Après un court passage équipé d'un câble, partir à gauche sur un beau sentier en lacets un peu raide et découvrir les

50 min - Ruines de la Venaz

Jusqu'au Xe ou XIe siècle, ce sentier fut, du fait du grand lac de Servoz, le seul passage permettant aux voyageurs et aux habitants de Passy et de Servoz de rejoindre les Houches et Chamonix en passant par Vaudagne.
Au site très sauvage des ruines supérieures, prendre à droite. Plus loin, choisir le chemin de gauche gagnant de l'altitude pour rejoindre la piste forestière (50 min) qui, face à soi, grimpe jusqu'au

2 h - Col de la Forclaz - 1 532 m

Jonction avec l'itinéraire principal du Tour du Pays du Mont-Blanc.

COL DE LA FORCLAZ - VARIANTE PAR ST NICOLAS, MEGEVE et LE COL DE JAILLET

Du Col de la Forclaz, prendre le second chemin forestier à gauche. Il traverse une belle forêt d'épicéas. Toujours en descendant, au-delà d'un téléski et d'une piste, on arrive à une bifurcation

40 min - Le Plancert - 1 430 m

A quelques minutes, le restaurant "La Tannière" offre une vue agréable sur la vallée de l'Arve et l'ensemble du Pays du Mont-Blanc.

Suivre le chemin à la montée jusqu'au lieu-dit "Les Rasses" (quelques habitations). Au carrefour suivant, descendre à droite jusqu'au lieu-dit le Champelet. Après la dernière maison, prendre à droite, traverser le chemin de fer à crémaillère du Tramway du Mont-Blanc peu avant d'arriver à Montivon (1 303 m) (45 min). On perd alors beaucoup d'altitude pour rejoindre le hameau de

(A) 1 h 30 - Bionnay - 952 m

Attention dans la traversée du hameau. Utiliser les routes et chemins au pied de la colline. Laisser à gauche la route carrossable qui monte au Champel et prendre en face une voie de desserte pour rejoindre la D 902. Traverser la route et passer, à droite le pont du Bon Nant (950 m). Entamer une très longue montée, à gauche d'abord, puis, à la première intersection, à droite, par un sentier plus sauvage jusqu'aux premières maisons et à l'église de

(B) 1 h - Saint Nicolas de Véroce - 1 175 m

S'éloigner de l'église, passer le syndicat d'initiative et les commerces *(ravitaillement complet)*. Monter à droite en empruntant la route goudronnée jusqu'au premier virage. Continuer alors tout droit par un chemin agricole, et, après une faible descente, bifurquer par deux fois sur la gauche. On arrive à l'aplomb du télésiège de Chatrix. Continuer de monter jusqu'au

(C) 1 h - Plan de la Croix - 1 450 m

Quitter ce très beau plateau par le chemin à jeep qui s'élève par quelques lacets sur une crête. A proximité d'une buvette-restaurant ("Sur le Plane" 1 644 m), prendre à gauche pour rejoindre les chalets d'alpage de Porcherey (1 645 m). *Vente de fromage frais.*

Très beau panorama depuis ce versant est du Mont-Joly.
S'élever au-dessus des maisons et rejoindre à nouveau la crête (Crête des Vernes) que l'on remonte un peu avant de rejoindre, à droite par un sentier étroit à flanc de montagne le

(D) 2 h - Refuge du Mont-Joly - 2 002 m

Refuge de faible capacité mais offrant un remarquable point de vue.
Du refuge, le cheminement continue en restant sur le fil de cette très belle arête, en franchissant deux énormes "dos d'âne". On gagne successivement le Col du

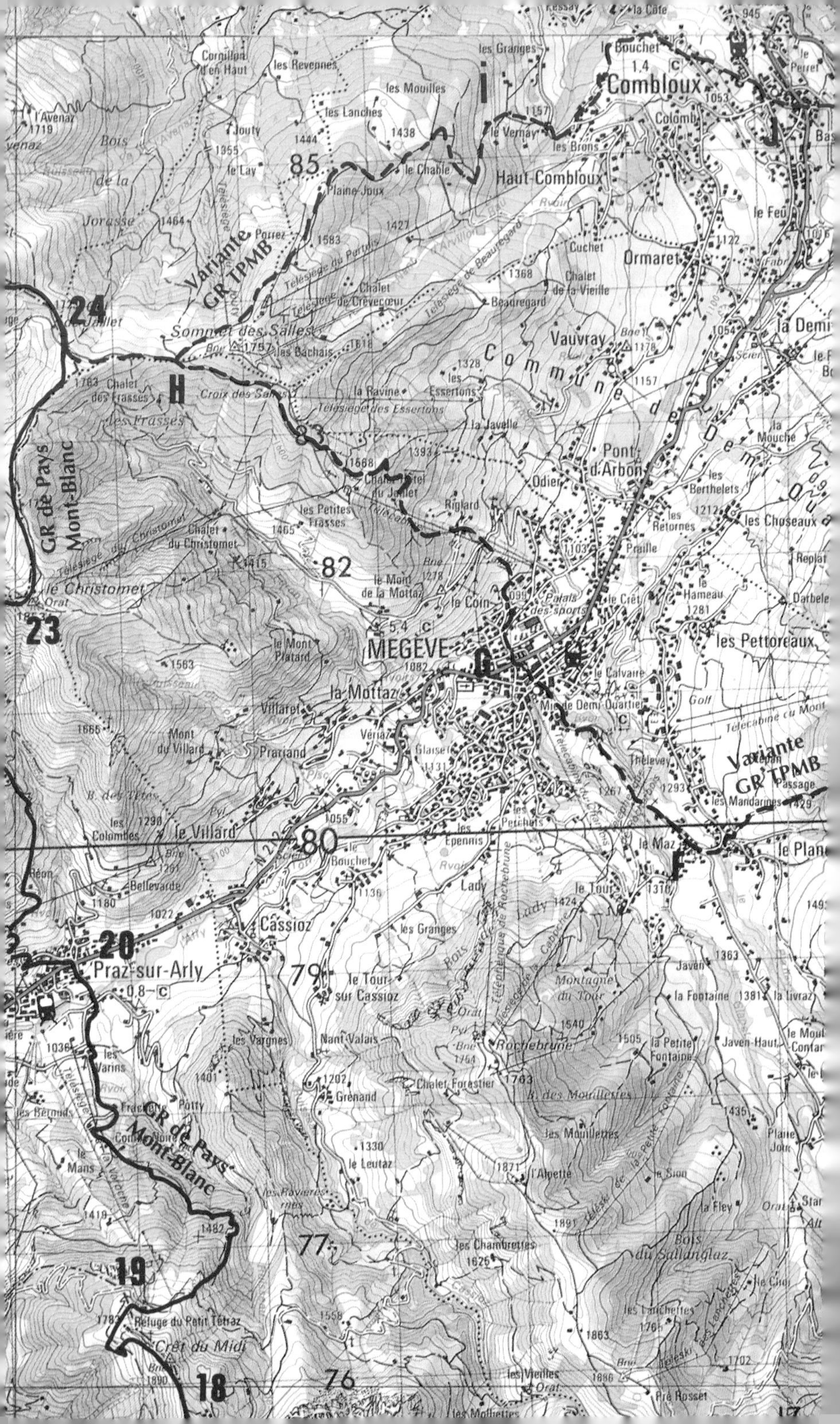

Combloux
le Bouchet
les Granges
Cornillon d'en Haut
les Revennes
les Mouilles
les Lanches
Jouty
le Lay
Plaine Joux
le Chable
le Vernay
les Brons
Haut-Combloux
Colomb
le Perret
Ormaret
Cuchet
le Feu
Variante GR TPMB
Porrez
Télésiège du Pertuis
Chalet de Crèvecœur
Télésiège de Beauregard
Beauregard
Chalet de la Vieille
Vauvray
Sommet des Salles
les Bachais
Croix des Salles
Chalet des Frasses
des Frasses
la Ravine
les Essertons
Télésiège des Essertons
la Javelle
Commune de Demi-Quartier
Pont d'Arbon
Odier
la Mouche
les Berthelets
les Choseaux
les Retornes
Praille
Chalet Hôtel du Jaillet
les Petites Frasses
Riglard
Chalet du Christomet
Télésiège du Christomet
le Christomet
GR de Pays Mont-Blanc
le Mont de la Mottaz
le Coin
Palais des sports
le Crêt
le Hameau
Replat
Darbelet
MEGEVE
le Mont Platard
la Mottaz
le Calvaire
les Pettoreaux
Mié de Demi-Quartier
Golf
Villaret
Mont du Villard
Prariand
Vériaz
Glaise
Théleley
les Mandarines
Passage
B. des Têtes
les Colombes
le Villard
les Petchets
les Epennis
le Bouchet
le Maz
le Plane
Bellevarde
Lady
le Tour
Cassioz
les Granges
Praz-sur-Arly
le Tour sur Cassioz
Montagne du Tour
Javen
la Fontaine
la Livraz
les Varnes
Nant Valais
Rochebrune
la Petite Fontaine
Javen-Haut
les Varins
les Béroud
Potty
Grenand
Chalet Forestier
B. des Mouillettes
les Mouillettes
Plaine Joux
le Mans
le Leutaz
l'Alpette
le Sion
la Fley
les Chambrettes
Bois du Sallanglaz
Refuge du Petit Tétraz
Crêt du Midi
les Lanchettes
les Vieilles
Pré Rosset
Variante GR TPMB
GR de Pays Mont-Blanc

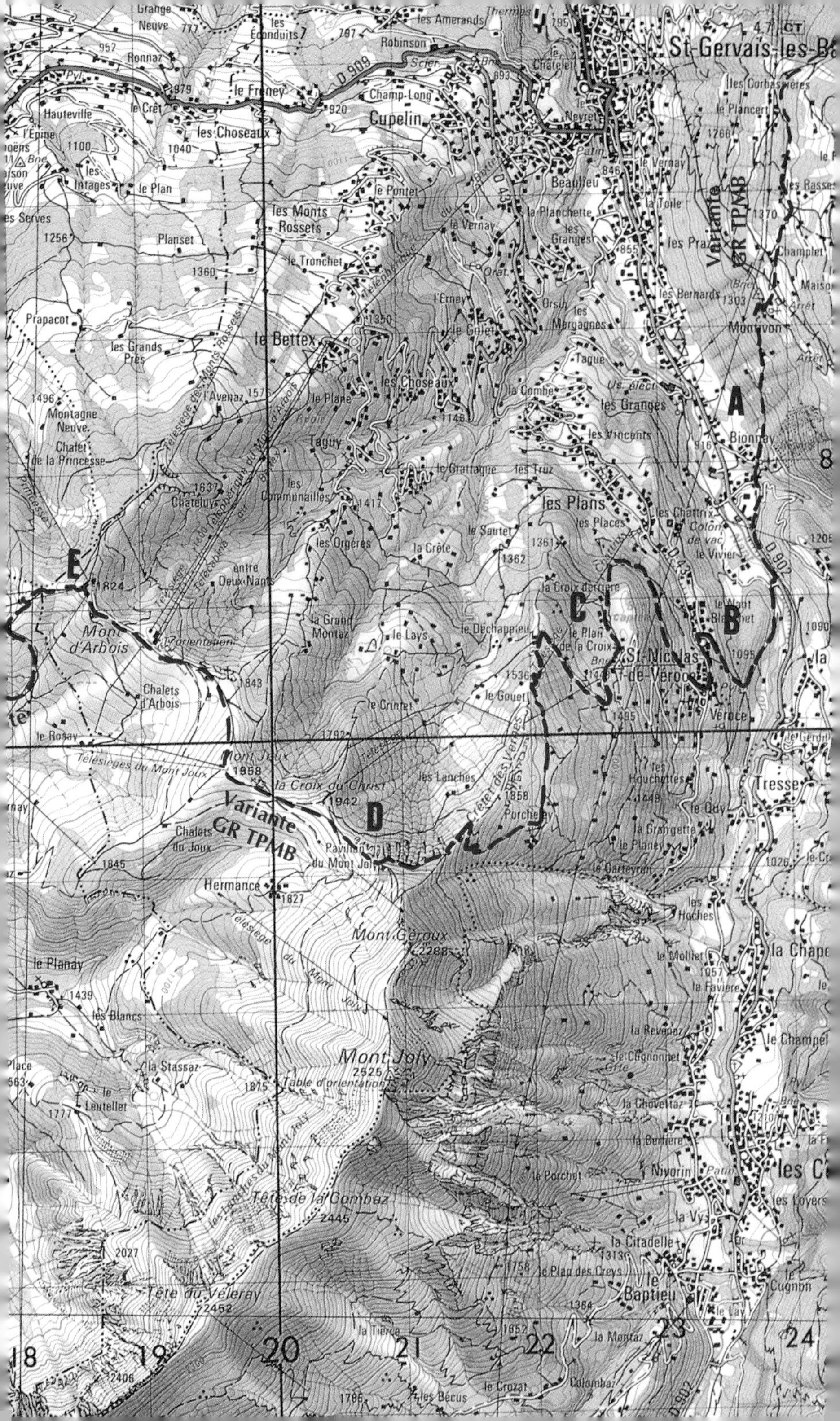

St-Gervais-les-Bains
Variante GR TPMB
A
B
C
D
E
Grange Neuve
les Éconduits
les Amerands
Thermes
Robinson
Ronnaz
le Freney
D 909
Champ-Long
Cupelin
le Châtelet
le Nevret
Hauteville
le Crêt
les Choseaux
l'Épine
les Intages
le Plan
Beaulieu
le Pontet
les Monts Rossets
les Serves
Planset
le Tronchet
le Vernay
la Planchette
les Granges
la Toile
les Praz
le Plancert
les Corbassières
les Rasses
Champlet
Montivon
les Bernards
Prapacot
les Grands Prés
le Bettex
l'Erney
le Gollet
Orsin
les Margagnes
Tague
Montagne Neuve
Chalet de la Princesse
l'Avenaz
le Plane
les Choseaux
la Combe
les Granges
les Vincents
Bionnay
Taguy
Chatelux
les Communailles
le Grattague
les Truz
les Plans
les Places
les Chattrix
le Vivier
les Orgères
le Sautet
la Crête
entre Deux Nants
la Croix derrière
le Haut Bladet
Mont d'Arbois
la Grand Montaz
le Lays
le Déchappieu
le Plan de la Croix
St-Nicolas-de-Véroce
Véroce
Chalets d'Arbois
le Crintet
le Gouet
le Rosay
Mont Joux
Télésièges du Mont Joux
la Croix du Christ
les Lanches
les Houchettes
Tresse
Chalets du Joux
Pavillon du Mont Joly
Porcheray
la Grangette
le Planey
le Quy
le Carteyran
Hermance
les Hoches
Mont Géroux
le Planay
le Mollier
la Favière
la Chapelle
les Blancs
la Revenaz
le Champel
Mont Joly
la Stassaz
le Cugnonnet
le Leutellet
Table d'orientation
la Chovettaz
la Berlière
Nivorin
le Porchet
Tête de la Combaz
la Vy
les Loyers
la Citadelle
le Plan des Creys
Tête du Véleray
le Baptieu
Cugnon
la Tierce
la Mantaz
le Crozat
Colombaz
les Bécus
D 902
18
19
20
21
22
23
24

Christ (1 899 m), le Mont Joux (1 958 m), le restaurant "Chez la Tante" (1 806 m) et enfin

45 min - Le Mont d'Arbois - 1 833 m

Le Mt-Blanc et l'Aiguille du Midi depuis le Mt Joux

Au sommet du Mont d'Arbois, passer entre la gare d'arrivée du téléphérique venant de Megève et l'hôtel-restaurant "L'Igloo". Contourner la gare par l'arrière pour trouver le large chemin qui descend en direction du Passage (1 429 m). Rejoindre la route au hameau du Planellet .
Prendre sur 200 m la route du Mont d'Arbois. Traverser par le pont le torrent du Planay, puis gagner le Hameau du Maz (repère F).
Au passage, admirer la belle chapelle au cadran d'horloge rouge et vert datant de 1849. Au Maz, prendre à droite le Chemin du Maz qui suit un ravin jusqu'au

(G) Village de Megève - 1 113 m

De la place de l'église, prendre les "5 rues". A voir, le bassin couvert, ancien lavoir. Traverser la RN 212 et prendre la route du Jaillet pour rejoindre le hameau du Coin.La montée au Jaillet se fait par le chemin des Coteaux. Traverser le hameau de Riglard (1 280 m) et gagner la gare supérieure du télécabine près du chalet-hôtel du Jaillet (1 568 m). De là, gagner le Plan des Dames et le Plan des Crêtes (1 687 m) (Repère H). *On rejoint ici la variante pour Combloux.*
Monter jusqu'au

1 h 20 - Col de Jaillet

Megève

Le guide Joanne de la Savoie, datant de 1900, conseille au touriste de visiter Megève, célèbre pour son église et ses nombreuses chapelles.

Effectivement, l'église est le fruit de plusieurs époques : le chœur date de l'époque flamboyante (XIVe siècle), la nef de la fin du XVIIe, le clocher du XVIIe, les orgues du XIXe et les vitraux de 1959 ... Quant aux chapelles, elles ont, pour la plupart, été érigées au XVIIe siècle par un clergé soucieux de lutter contre la Réforme.

Le Calvaire, construit par le Révérend Ambroise MARTIN au XIX e siècle, est une œuvre pour le moins originale : sans aucune unité de style mais avec une précision méticuleuse, on trouve les répliques de la Maison de Nazareth, du Tombeau, du Chemin du Golgotha ... précision qui a donné à Megève le surnom de "Jérusalem Savoisienne".

Le village de Megève, essentiellement agricole, possède sa petite histoire.

La commune devient frontalière à partir de 1860, et voit fleurir de nombreux cafés servant de relais aux contrebandiers. La route Sallanches - Praz sur Arly ne traverse le village qu'en 1892. C'est une vraie "modernité" qui permet aux Mégevans d'améliorer leur accueil. Ils construisent des hôtels (Panorama en 1895, Soleil d'Or en 1902), et peuvent lancer leur station "climatérique". L'arrivée des familles aisées qui viennent prendre une cure d'air pur et de bon lait de la montagne constitue le début d'un nouvel essor pour Megève.

Très vite, on découvre les plaisirs de la neige, Noël 1913 est la première saison hivernale. Après la guerre, c'est grâce à la baronne de Rothschild et à la construction de l'Hôtel-Palace du Mont d'Arbois en 1921 que Megève s'envole vers la gloire. L'aventure des sports d'hiver a commencé et se concrétisera avec le célèbre Emile ALLAIS.

Accolée à Megève, la commune de Demi-Quartier

Si Demi-Quartier fait partie de la paroisse de Megève, elle constitue, par contre, une commune indépendante. Cette particularité est d'autant plus intéressante que l'une et l'autre forment un entrelacs relationnel peu ordinaire.

Ainsi, militairement, Demi-Quartier faisait partie du mandatement de Sallanches, alors que Megève dépendait de Flumet. Par contre, Megève a très tôt (XIIIe siècle) bénéficié d'un Droit de Foire. Ces grands rassemblements revêtaient une importance économique indéniable pour les paysans et rythmaient leur vie pastorale et agricole . Demi-Quartier , commune aux fermes très dispersées a , de ce fait, installé son quartier administratif près du champ de foire.

Le 18 Août 1714, le Comte Hyacinthe de Capré fait l'acquisition de la tour appartenant au seigneur Gaspard Magdelain de Cruseilles. A sa mort, son fils héritier, Charles Joseph, décide de la mettre en vente. Une assemblée des Chefs de Famille de Megève et Demi-Quartier se tient sous la halle du champ de foire et décide le rachat de la maison seigneuriale qui devient ainsi maison commune des deux villages. C'est ainsi qu'au cœur de Megève, à deux pas de l'église, trône une vieille bâtisse à l'allure moyenageuse : la "Tour de Demi-Quartier", Sa mairie !

Index des noms de lieux

Arbois (mont d') 86
Are (plan de l') 48
Ayères (les) 60
Balme (la)(refuge) 41
Bel-Lachat 73
Bérard (cascade de) 66
Bionnassay 36
Bionnay 83
Brévent (col et sommet) 71
Chamonix 70
Champel (le) 38
Charbonnière 59
Charme (la) 36
Château des Rubins (le) 55
Christ-Roi (le) 74
Christomet (oratoire du) 49
Cœur (chalets de) 50
Combloux 79
Contamines-Montjoie (les) 39
Cordon 50
Croix (Plan de la) 83
Demi-Quartier 87
Domancy 79
Doran (refuge) 51
Fenêtre (col de la) 41
Flégère (la) 69
Forclaz (colde la) 33-82
Fovrents (les) 78
Granges de la Frasse (les) 39
Houches (hameau des) 54
Houches (village des) 32
Jaillet (col de) 49-78-86
Joly (col du) 45
Joly (refuge du Mt) 83
Julliards (les) 79
Lac Blanc (le) 68
Lac Vert (le) 81
Lachat d'En-Haut 57
Mayères (croix et refuge) 51
Megève 86
Miage (chalets) 38
Midi (crêt du) 47
Merlet 73
Moède-Anterne (refuge de) 61
Montets (col des) 67
Nant-Borrant (refuge) 41
Nants (chalet des) 57
Niard (col de) 50
Passy-Plateau d'Assy 60
Perthuis d'En-Bas 59-80
Petit Pâtre (cabane du) 49
Petit Tétras (refuge du) 47
Pierre à Bérard (refuge de) 63
Pierre Fendue (la) 51
Plaine-Joux 59
Plancert (Le) 82
Planpraz 69
Pont St Martin 56
Prarion (hôtel-refuge du) 35
Praz-sur-Arly 48
Roselette (Tête du lac de) 45
Salenton (col de) 62
Sallanches 55
Servoz (et Vieux Servoz) 81
St Gervais 37
St Nicolas de Véroce 83
Tête aux vents (la) 67
Tornieux (ferme du) 54
Torrent de Reninge (petit pont du) 57
Tré-la-Tête (refuge de) 40
Truc (chalets du) 38
Vallorcine 66
Varan (chalet de) 59
Venaz (la) 82
Véry (col de) 47
Villy (chalets de) 62

2ème édition : Juin 1993 - copyright FFRP 1993 - copyright IGN 1993
Dépot légal : Juin 1993 - Imprimerie : COLORPRESS - Annecy